DU DIAGNOSTIC

DE LA

PIERRE DANS LA VESSIE

VALEUR SÉMÉIOLOGIQUE DES SIGNES RATIONNELS

EXPLORATION DE LA VESSIE

PAR

P.-J. ANCELIN,

Docteur en médecine de la Faculté de Paris.
Ancien externe des hôpitaux de Paris,
Médaille de bronze de l'Assistance publique.

PARIS

V. ADRIEN DELAHAYE et Cⁱᵉ LIBRAIRES-ÉDITEURS

PLACE DE L'ÉCOLE-DE-MÉDECINE

1879

DU DIAGNOSTIC

DE LA

PIERRE DANS LA VESSIE

VALEUR SÉMÉIOLOGIQUE DES SIGNES RATIONNELS
EXPLORATION DE [LA VESSIE

La présente dissertation est en grande partie le résumé, aussi fidèle que nous avons pu le faire, des leçons si suivies faites par M. le professeur Guyon dans son service de l'hôpital Necker.

Nous le prions de vouloir bien accepter ici l'assurance de toute notre reconnaissance, et le témoignage de notre respectueuse gratitude.

AVANT PROPOS.

Le diagnostic de la pierre dans la vessie se divise en deux parties : le diagnostic médical et le diagnostic chirurgical. Le premier comporte l'étude des symptômes rationnels de la pierre, étude qui peut sembler sinon inutile, du moins secondaire à un grand nombre de médecins, puisqu'il est pour ainsi dire accepté que le seul moyen de faire le diagnostic est de sentir la pierre avec un instrument métallique.

En effet, si l'on consulte les ouvrages qui traitent de cette question, on voit que des chirurgiens habiles n'ont pas trouvé un calcul alors qu'il existait; et que d'autres, moins nombreux il est vrai, ont fait la taille à des malades qui n'avaient point de calcul (1).

Nous croyons que les uns aussi bien que les autres se sont trompés pour avoir laissé de côté l'étude des symptômes rationnels de la pierre. Il est rare qu'un calculeux ne présente, — dans des conditions déterminées, — aucun des symptômes rationnels qui appartiennent à son affection; de même aussi, il est rare qu'un malade présente des symptômes rationnels de calcul quand la vessie n'en contient pas. C'est pour avoir donné aux mots : fréquence des mictions, douleur, hématurie un sens trop large, que l'on s'est trompé. On n'est pas calculeux parce qu'on présente un ou plusieurs de ces symptômes d'une façon générale, mais bien quand ils se présentent dans des conditions déterminées, qui seules leur assurent leur valeur au point de vue spécial dont nous nous occupons, et sur lesquelles nous désirons attirer l'attention.

Nous diviserons notre travail en deux parties. Etude des symptômes rationnels, leur valeur séméiologique; étude des symptômes physiques ou exploration vésicale à l'aide des instruments.

____

(1) Cf. Compendium de chirurgie, p. 46, obs. 1, 2, 3, 4.

PREMIÈRE PARTIE

DIAGNOSTIC MEDICAL DE LA PIERRE

SIGNES RATIONNELS. — VALEUR SÉMÉIOLOGIQUE.

Si prenant les livres classiques traitant des maladies des voies urinaires, on cherche quels sont les symptômes rationnels de la pierre dans la vessie, et quelle en est la valeur, on est frappé de ceci : c'est que tous les auteurs concluent, que non-seulement il n'y a pas de signe pathognomonique, (ce que nous ne contestons pas) mais que de plus « comme les différents signes sont loin d'être constants et surtout comme chacun d'eux s'observe à l'occasion de maladies très-diverses, ce n'est pas dans les symptômes qu'il faut chercher les éléments du diagnostic, mais bien à l'exploration vésicale qu'on doit demander la certitude clinique. Il faut sonder les malades pour savoir s'ils ont ou s'ils n'ont pas la pierre : et c'est pour ne l'avoir pas fait ou pour l'avoir mal fait, qu'on a pu se reprocher d'avoir laissé succomber certains calculeux. Souvent, au moins, on a laissé grossir une concrétion dont le volume est devenu plus tard un des principaux obstacles à la thérapeutique (1) ».

Mais, est il donc si inoffensif de sonder de prime abord

---

(1) Dolbeau. Traité de la pierre dans la vessie, paragr. 3, p. 58.

un malade et surtout de la sonder avec un instrument propre à explorer convenablement la vessie, c'est-à-dire avec un instrument à brusque courbure? s'il en est ainsi, pourquoi le même auteur ajoute-t-il : « Il y a des malades chez lesquels le séjour d'une bougie molle dans l'urèthre a pu causer la mort ; pour d'autres, les manœuvres les plus violentes ne déterminent jamais la moindre réaction. Dans l'incertitude où se trouve le chirurgien, il doit toujours procéder comme s'il s'agissait d'un sujet appartenant au premier groupe d'individus, que nous venons d'indiquer (1) ».

C'est afin d'éviter de pareils accidents, ou du moins de les justifier dans une certaine mesure, et parce que nous pensons que l'étude un peu minutieuse, il est vrai, mais possible, des symptômes rationnels de la pierre peut amener dans l'esprit du chirurgien la presque certitude de son existence que nous avons entrepris cette étude.

La connaissance de la valeur des symptômes rationnels de la pierre a un autre avantage, celui d'engager et d'autoriser le médecin à renouveler une exploration qui une première fois s'est trouvée infructueuse. De plus, cela lui évite, chose toujours désagréable, de laisser trouver par d'autres un calcul qu'il aurait pu rencontrer lui-même, si guidé par l'étude attentive des symptômes il avait insisté sur l'exploration directe.

Nous pensons donc comme tous les auteurs, que par l'exploration directe seule, on peut avoir la certitude de l'existence d'un calcul vésical, mais qu'il faut se garder de débuter par elle.

____

(1) Dolbeau. Loc. cit., p. 70.

Quels sont les symptômes rationnels sur lesquels repose toute la ligne de conduite du chirurgien?

Ces symptômes doivent se tirer de l'étude de la miction et aussi de l'étude des urines. En un mot, il faut suivre le malade pendant les diverses phases de sa vie de 24 heures et analyser avec soin ce qui se passe au repos, c'est-à-dire la nuit, ou au contraire pendant les mouvements, c'est-à-dire le jour. Il est en effet à remarquer que tous les symptômes que présentent les calculeux naissent sous l'influence de la locomotion de la pierre.

Miction. — L'étude de la miction se trouve divisée en deux parties : fréquence de la miction et douleur pendant la miction.

Si l'on interroge les malades au point de vue de la fréquence, ils vous répondent qu'ils urinent fréquemment, mais c'est là un symptôme qui, donné de cette façon, ne saurait avoir une valeur réelle, car il n'y a pas que les calculeux qui, d'une manière générale, urinent fréquemment. Il faut savoir quand est la plus grande fréquence de cette miction, un grand nombre d'affections de l'appareil génito-urinaire pouvant augmenter cette fréquence : telles sont les maladies des reins, de l'urèthre, de la prostate, etc.

Les calculeux urinent plus fréquemment le jour que la nuit, et cela d'autant plus qu'ils se donnent davantage de mouvement ; car la nuit, par le fait du repos, la présence du calcul est pour ainsi dire annihilée.

Les observations suivantes (1) nous paraissent concluantes à cet égard.

(1) Nous ne reproduirons pas, dans cette dissertation, les mêmes observations à plusieurs endroits, nous nous contenterons d'y renvoyer le lecteur si besoin est.

Obs I. — St-Vincent, n° 15.

Cousin (Joseph), 49 ans maçon, entré le 20 janvier 1879.

Dans le cours du mois de novembre 78, il a éprouvé une cuisson assez vive en urinant : les urines sont restées sanglantes pendant toute la journée, sans qu'il se soit fatigué plus que d'habitude. Depuis lors, ces cuissons vives se sont reproduites assez fréquemment pendant la miction de temps à autre, le malade remarque du sang dans ses urines. Pas de douleurs vives dans le bas ventre. Pas de sensation de ballottement d'un calcul, la voiture est assez bien supportée. Il est obligé d'uriner très-fréquemment environ toutes les demi-heures pendant le jour, plus fréquemment pendant la marche ou un exercice violent, toutes les heures pendant la nuit. Il n'a jamais remarqué de gravier dans les urines. D'ordinaire pas de symptômes douloureux pendant la miction. Le malade dit avoir eu des interruptions du jet quand il urinait, et jamais quand il était couché.

On fait l'exploration de la vessie, l'explorateur donne un bruit de cliquetis en frappant sur les calculs, il y a donc plusieurs pierres.

On commence par la dilatation.

On passe les bougies 18 et 19

1er février on passe 17 et 20

3 — — 20 et 21

4 On décide que la lithotritie aura lieu le lendemain.

Le 5. Séance de lithotritie, on est obligé de débrider le méat. Le lithotriteur est introduit sans difficultés, les calculs sont saisis dans le bas fond de la vessie, et broyés en 12 ou 13 prises durant en tout 4 minutes. On fait un lavage qui donne beaucoup de débris calculeux.

Le 6. La température s'est élevée hier à 39°, ce matin 37°9 défervescence rapide, le malade se trouve bien.

Le 12. Nouvelle séance, 26 prises en 4 1/2 minutes ; lavage.

Le 13. Pas d'élévation de température. pas de douleurs vives ; urines rougeâtres.

Le 15. Le malade se plaint de douleurs vives en urinant.

Le 19. Séance de lithotritie. On chloroformise le malade car il ne peut supporter l'injection d'eau dans la vessie sans de vives envies d'uriner. On ne trouve que de très petits fragments.

Le 20. Pas de fièvre, douleurs assez vives en unrinant.

Le 21. Le malade ne souffre plus en urinant, les urines s'éclaircissent.

Obs. II. — St-Vincent n° 26.

Bornot (Pierre), 62 ans, employé, entré le 31 octobre 1878.

A commencé à souffrir depuis un an seulement, auparavant sa santé était excellente. Pas de goutte, pas de rhumatisme. Au début envies fréquentes d'uriner, puis hématurie qui ne semble provoquée par aucune fatigue. Le malade pouvait continuer son travail qui n'est pas fatigant. L'hématurie se montrait seulement de temps en temps. Le moindre mouvement, la voiture, la marche déterminaient des douleurs au bout de la verge. Le malade urinait moins souvent la nuit que le jour.

Depuis trois mois le malade ne présente plus d'hématurie grâce, dit-il au régime lacté qu'il a suivi pendant un mois. Exploré en août par M. Guyon, qui lui a trouvé une pierre.

Le 6. Première séance de lithotritie, pierre de 19 milimètres.

Le 10. Le malade sort sur sa demande, gardant encore quelques fragments.

Obs. III. — St-Vincent n° 4.

Barbier (Anatole), 68 ans, journalier, entré le 5 décembre 1878.

N'a jamais été malade, n'est pas goutteux, mais son urine contient beaucoup d'acide urique.

Il y a environ 8 mois a commencé à uriner plus souvent et il avait une légère cuisson à la fin de la miction. Mictions plus fréquentes le jour que la nuit, après la fatigue qu'après le repos. Quand il se fatiguait, il urinait à chaque instant, très peu chaque fois, mais avec douleur. L'urine était beaucoup plus chargée quand il avait travaillé. Le malade né croit pas avoir perdu de sang.

Un peu plus tard, impossibilité d'aller en voiture. La moindre fatigue en marchant causait des douleurs dans la région vésicale.

Il y a 7 mois, a consulté un médecin qui l'ayant sondé n'a pas trouvé de pierre. La prostate étant volumineuse, ce médecin s'y est probablement arrêté croyant être dans la vessie.

Exploré avec une sonde d'argent, M. Guyon lui trouve une prostate très longue, et constate dans la vessie l'existence de 2 pierres au moins.

6 mars. Mort. Autopsie le 8. La vessie contient au moins une vingtaine de calculs du volume d'un grain de chènevis à celui d'une noisette.

Toutefois il peut arriver que chez un calculeux la plus grande fréquence des mictions ait lieu pendant la nuit, mais alors c'est qu'à son affection primitive sera venue s'en joindre une autre : de la cystite, et l'on sait que dans la cystite la membrane muqueuse vésicale, rendue plus sensible par le processus inflammatoire, ne se laisse plus distendre par l'accumulation de l'urine ; elle force au contraire l'organe à se débarrasser aussitôt que possible de son contenu, de là la fréquence des mictions.

Si la fréquence des mictions est aussi un symptôme de la cystite, et des plus caractéristiques, il faut remarquer que cette fréquence existe surtout pendant la nuit, que les mouvements n'ont sur elle aucune influence, tandis que c'est tout le contraire chez le malade porteur d'un calcul. Celui-ci, plus il marche, plus il fatigue, et plus se fait sentir fréquemment le besoin d'uriner.

Il en est de même dans l'hypertrophie de la prostate, c'est pendant la nuit que la fréquence des mictions est beaucoup plus considérable et que l'on voit les malades rendre en l'espace de 7 ou 8 heures de nuit autant d'urine que pendant une journée de 16 heures. C'est là ce qui trouble le plus le repos des prostatiques. Les calculeux, au contraire, comme le dit le professeur Guyon, cessent pour ainsi dire de l'être pendant la nuit par le fait seul du repos.

On observe encore une grande fréquence des mictions dans les diabètes albumineux et sucrés. Mais ici la fréquence qui provient de la grande activité secrétoire du rein est à peu près uniformément répartie dans les 24 heures, quoiqu'il soit vrai, comme l'a démontré le professeur Gubler, que la quantité d'urine rendue pendant la nuit soit plus considérable, quelquefois du double, que celle rendue pendant le jour.

Douleur. — Voyons maintenant ce que l'étude des autres symptômes peut nous indiquer au point de vue de la miction. Après l'étude du symptôme fréquence vient celle du symptôme douleur. C'est là un symptôme de premier ordre qui peut se présenter à propos de la miction ou en dehors d'elle. Mais cette douleur a particulièrement lieu lorsque le malade finit d'uriner. L'on comprend parfaitement que, sous la double influence de la locomotion de la pierre qui se rapproche du col de la vessie et aussi sous l'influence du contact de la pierre avec le col, il doit y avoir des douleurs à la fin de la miction et qu'elles doivent se prolonger.

Le siége de la douleur indiqué par les auteurs, Civiale, Thompson, etc., est l'extrémité de la verge, cela est vrai dans un assez grand nombre de cas, mais ce siége n'a rien d'absolument fixe. Tantôt les malades se plaignent de douleurs à l'extrémité de la verge (obs. II), tantôt et souvent à l'anus, si bien qu'ils se croient atteints d'une maladie du fondement, tantôt, d'une manière indéfinie, de la région hypogastrique.

Les sensations éprouvées par les malades sont quelquefois de telles sortes qu'ils ne peuvent pas les définir. Il en était ainsi dans l'observation suivante.

Obs. IV. — St-Vincent n° 25.

Doulens (Emile), 45 ans, entré le 12 octobre 1878.

Père goutteux ayant eu des coliques néphrétiques, et ayant rendu plusieurs calculs. Quant au malade il n'en a jamais eu.

Santé parfaite jusqu'à il y a un an. A partir de ce moment difficultés d'uriner, il lui fallait pousser pour que l'urine sortît.

Déjà au mois de décembre 1877, il a souffert un peu en allant dans une voiture non suspendue. Il avait une sensation étrange qui le forçait à se tenir tantôt sur une fesse, tantôt sur l'autre. A la descente, envie d'uriner ; 4 ou 5 mictions successives de quart d'heure en quart d'heure, toujours un peu de sang dans l'urine, mais de moins en moins chaque fois. Une heure après être descendu de cette voiture non suspendue, remonte dans une qui l'était et ne souffre plus. Les envies d'uriner si fréquentes ne se sont plus reproduites. La marche ne causait pas de douleur.

Au bout d'un mois, l'urine laisse un dépôt blanchâtre. A la fin de la miction, douleur à la verge qui se calmait au bout d'une ou deux minutes.

Au mois de juin 1878, le malade fait 6 kilomètres en deux fois, il ne souffre pas pendant la marche, mais son urine est rouge ; la miction n'est pas douloureuse, et n'est pas fréquente. La première urine était la plus rouge.

Dans ces derniers temps la marche était un peu douloureuse. Au mois de septembre, il monte dans une voiture suspendue et souffre un peu. L'urine est sanguinolente pendant 3 ou 4 mictions, puis elle redevient normale.

Il a été exploré par M. Guyon qui lui a trouvé un calcul,

23 décembre 1878. Première séance de lithotritie.
23 novembre. — Exploration infructueuse. Exeat.

Que donne l'étude de ce même symptôme en dehors
des mictions. Il est tout naturel de prévoir que puisque
les symptômes rationnels sont surtout le fait de la locomotion de la pierre, le symptôme douleur devra surtout
se présenter lorsque le malade est en mouvement, c'est-
à-dire pendant la veille. En effet, il y a beaucoup de
calculeux qui ne souffrent pas quand ils sont dans le
decubitus dorsal (obs. V). Ce fait cependant ne se produit pas toujours, car souvent avec le calcul le malade
a de la cystite. Cependant les calculeux qui souffrent
sont presque toujours soulagés par le repos au lit. Lors
donc que l'on analyse le symptôme douleur, c'est en re-
cherchant ce qui se passe pendant le jour que l'on peut
arriver à connaître la valeur du mouvement comme
cause de douleur, et, par suite, comme signe de la possibilité de la présence de la pierre dans la vessie.

Certainement chez les calculeux le mouvement dé-
termine à bref délai l'apparition de la douleur; il suffit
qu'ils fassent un faux pas, qu'ils marchent un peu vite
pour souffrir à peu près immédiatement. Symptôme
très-caractéristique, l'effet suivant promptement la
cause. Il ne faudrait pas, toutefois, s'attacher d'une façon absolue à cette douleur, car chez un certain nombre
de calculeux, la douleur ne se prononce qu'après un
certain temps. On interroge un calculeux pour savoir
ce qui se passe quand il marche, il répond : rien. Mais si
l'on insiste et si on lui demande s'il en est ainsi quand
il a marché longtemps, on découvre qu'alors il commence à souffrir. Il est aussi des calculeux qui marchent

sans rien ressentir, dix minutes, un quart d'heure, une heure, mais qui au bout de ce temps souffrent et de telle sorte qu'ils sont obligés de s'arrêter. Le repos fait cesser cette douleur, les malades peuvent continuer à marcher, quittes à s'arrêter un peu plus loin pour recommencer ensuite.

Obs. V. — St-Vincent n° 21.

Lebrun (Charles), 50 ans, aiguilleur, entré 20 janvier 1879.

Ce malade accuse depuis une vingtaine d'années déjà des douleurs passagères dans les lombes qui, depuis 10 ans, ont été quelquefois très vives, et le forcèrent à marcher complètement courbé. Rien du côté de la miction à ce moment. Depuis 4 ou 6 ans, les douleurs lombaires ont diminué d'intensité.

En 1877, il a constaté souvent des graviers dans son urine ; jamais à la suite d'accès douloureux violents, pouvant faire croire aux coliques néphrétiques ; les graviers n'étaient guère plus volumineux qu'une tête d'épingle. Depuis lors, il ressent très souvent au périnée et au gland, des douleurs vives exaspérées par la marche. La fatigue, l'exercice, la marche déterminent aussi des envies fréquentes d'uriner, la miction est aussi parfois douloureuse : Au repos presque pas de douleurs. Les envies d'uriner sont aussi calmées par le repos. Il a constaté aussi souvent des interruptions brusques du jet d'urine : quand il urinait debout le moindre mouvement suffit à redonner au jet d'urine toute sa force. Pas de sensation de ballottement dans la vessie ; vif prurit du méat. Urines très claires ne se troublant guère qu'après un exercice violent et prolongé. Elles étaient rouges quand le malade avait fait 4 à 5 kilomètres. Elles ne l'étaient pas quand il allait en chemin de fer.

A l'exploration avec un instrument métallique, on perçoit un bruit de cliquetis.

24 janvier. On passe les bougies 20 et 21
27 — — 22 et 23
29. Séance de lithotritie, les pierres sont broyées en 6 ou 7

prises. On est obligé de prendre un lithotriteur fenêtré parce que les pierres glissent sur un à mors plats ; pas de lavage.

30. Pas d'ascension bien marquée de la température, 2/10 seulement le soir et 4/10 le matin. Un peu de céphalalgie. Quelques douleurs en urinant.

31. Encore des maux de tête, 2 verres d'eau de Sedlitz. Urines peu abondantes, le malade rend quelques débris. Douleurs vives au début de la miction.

5 février. Nouvelle séance de lithotritie, on introduit le lithotriteur à mors dentelés; 26 ou 26 prises, lavage.

10 février. Pas de fièvre, un peu de douleur dans l'hypochondre, un peu de phlébite des veines profondes du mollet.

Dans les cinq observations que nous venons de citer, tous les malades ont éprouvé de la douleur, mais chacun souffrait pour ainsi dire à sa manière. Nous verrons qu'il en est de même dans les autres observations que nous aurons occasion de citer à propos d'autres faits. La douleur est un symptôme tellement physiologique qu'on s'étonne de ne pas le retrouver chez tous les calculeux. Il en est cependant chez lesquels on ne la retrouve pas alors qu'ils sont porteurs de pierres de moyenne grosseur. Il y a même plus, il est des calculeux qui peuvent avoir des pierres pendant plusieurs années sans éprouver de douleurs particulières, non-seulement pendant la miction, mais aussi pendant le mouvement. A cet égard, l'observation suivante est remarquable. M. le professeur Guyon a retiré un calcul de 175 grammes chez un calculeux qui n'avait jamais souffert, si peu même que lorsqu'il est venu le trouver, il pensait n'avoir qu'un tout petit calcul dont on pouvait le débarrasser par la lithotritie.

Nous venons de voir quelle était sur l'homme porteur d'un calcul l'influence de la locomotion simple, mais il est important de s'enquérir si les choses se passent de même façon dans la locomotion à l'aide des voitures. C'est là un point sur lequel M. le professeur Guyon a toujours le soin d'insister dans ses leçons cliniques, car s'il est des calculeux à l'hôpital pour qui les voitures ne sont pas d'un usage habituel, il en est d'autres, et beaucoup plus nombreux en ville, qui s'en servent continuellement.

Tous les genres de locomotion n'aboutissent pas aux mêmes résultats : les calculeux supportent très-aisément le chemin de fer (obs. V) ; ils viennent de province et ont été à peine gênés. Mais s'ils se rendent de la gare chez le médecin en voiture, ces mêmes malades qui auraient fait cinq ou six heures de chemin de fer sans rien ressentir, se mettent à souffrir d'une façon excessive. Mais s'il leur était arrivé de prendre un omnibus au lieu d'une voiture, peut-être n'auraient-ils pas souffert. En effet, dans l'omnibus les sensations sont différentes de celles déterminées dans les voitures légères, aussi, sorte que quand on interroge les calculeux à ce point de vue, il ne faut pas oublier de préciser le genre de véhicule dont on entend parler. Si l'on a affaire à un homme qui va en voiture, on est sûr, s'il a un calcul dans la vessie, de recueillir quelques indications, car c'est dans ces conditions que la douleur est le plus prononcée (obs. IV). Il y a alors locomotion répétée de la pierre qui vient frapper le col et déterminer des douleurs. Il y a là un moyen précieux de renseignement sur lequel M. le professeur Guyon insiste, parce que souvent, à l'aide de ce seul symptôme, on peut avoir des présomptions sur la présence d'un calcul.

L'observation suivante est très-concluante quant aux

effets des différents modes de locomotion. Le malade qui en est l'objet, et qui est cocher de tramway (mode de locomotion qui réalise exactement les mêmes conditions que les chemins de fer), ne souffrait pas quand il conduisait sa voiture; il marche ou il va en charrette, et aussitôt sa pierre voyageant dans sa vessie, il souffre.

Obs. VI. — Saint-Vincent, n° 13.

Gomot (Louis), 31 ans, cocher, entré le 3 octobre 1878.

Souffre depuis deux ans. Sa maladie a commencé par des douleurs de reins ressemblant à des rhumatismes. Bientôt le malade remarque qu'il urine plus difficilement, qu'après avoir uriné il a encore besoin, mais qu'il ne peut pas expulser les dernières gouttes d'urine qu'il a dans la vessie. L'urine n'était pas trouble, il n'y avait pas de sang. Il pouvait aller très-bien en voiture.

Il y a 6 mois, tout d'un coup rétention d'urine qui dure 3 jours, le malade vomissait tout ce qu'il prenait. Bientôt il se remit à pisser, mais alors toutes les cinq minutes. Il pouvait à peine retenir son urine, ténesme vésical. Il est cocher de tramway et ne souffrait pas sur son siége. Il souffrait surtout quand il marchait ou quand il allait en charrette. Douleurs très-fortes qui se faisaient sentir au bout de la verge. Elles diminuaient en tirant sur le prépuce. Le malade dit qu'il ne marchait jamais sans avoir la main dans sa poche pour pouvoir se tirer le prépuce, ce qui diminuait beaucoup sa douleur.

Son appétit était diminué, mais sa soif augmentée.

En septembre, dans la nuit, douleurs très-violentes dans le côté gauche. Colique néphrétique, rétention d'urine. La colique cesse le matin par l'expulsion de quatre petits calculs ronds, blanchâtres. La miction redevient facile, mais extrêmement fréquente, toutes les cinq minutes.

Les coliques ne se reproduisent pas. Il entre à l'hôpital.

17 octobre. A l'exploration, on sent deux calculs gros comme des noisettes.

Ancelin.   2

Le 19. Première séance de lithotritie. Pierres phosphatiques très-molles.

21 novembre. Le malade sort guéri.

Nous arrivons maintenant à une nouvelle source de renseignements, sur laquelle tous les auteurs n'ont pas également attiré l'attention. Tandis que Dolbeau (1) semble considérer l'examen des urines comme à peu près inutile pour arriver tout de suite au cathétérisme, Thompson se contente, dans sa huitième leçon clinique, de dire que, presque toujours, le malade répond qu'il a uriné du sang.

Nous allons essayer de démontrer que l'étude des urines, chez les calculeux, a une importance plus grande au point de vue du diagnostic, et que leur étude faite avec soin fournit le plus souvent à celui qui les examine un symptôme de la plus haute valeur, l'hématurie, qui en l'absence des deux que nous avons énumérés plus haut, fréquence des mictions et douleur, peut à lui seul indiquer sûrement la présence de la pierre.

Hématurie. — Si l'on se contente d'examiner les urines rendues par les calculeux, alors que les malades sont au repos, les renseignements fournis par elles seront nuls. Elles peuvent être claires ou troubles, acides ou alcalines, c'est-à-dire qu'il y a dans leur composition de très-grandes variations. De là à un examen négatif au point de vue dont nous nous occupons, il n'y a qu'un pas. Il faut, en effet, lorsque l'on veut étudier les urines des calculeux, se préoccuper avant tout des conditions dans lesquelles elles ont été rendues. C'est quand on sait ce

(1) Dolbeau. Loc. cit., p. 55.

que deviennent les urines lorsque le malade a marché ou a été en voiture, que l'on peut en tirer des renseignements utiles. Et l'on peut arriver à cette connaissance, sans avoir les urines devant les yeux, il suffit pour cela d'interroger le malade. En effet, lorsque l'on demande à un calculeux qui a pu s'observer quel est l'état de ses urines, lorsqu'il a marché un certain temps (c'est là une condition pour que les urines se modifient), il répond presque toujours qu'elles sont troubles ou colorées. Le trouble peut échapper aux malades, de fait il leur échappe souvent, mais ce qu'ils voyent presque toujours, c'est la coloration. Elle est rouge ou rosée. En un mot il y a hématurie plus ou moins abondante, quelquefois même au point que les urines sont noires.

OBS. VII. — Saint-Vincent, n° 2.

Cathala (Remy), 21 ans, cultivateur, entré le 5 octobre 1878.

Les symptômes de calcul vésical remontent à l'enfance. Jusqu'à l'âge de 10 ans il a souffert. Douleurs au périnée, hématuries. Quelquefois le jet d'urine était brusquement suspendu comme si quelque corps bouchait l'entrée du canal, puis le jet reprenait son cours. Il est arrivé au malade de pisser du sang après avoir couru. Il souffrait au-dessus du pubis.

Après l'âge de 10 ans, ces rétentions d'urine ne se produisent plus, mais lorsqu'il faisait des courses un peu longues, il souffrait au bout de la verge et quelquefois il urinait du sang. Ce sang disparaissait des urines par le repos.

La période de 10 à 16 ans a été assez calme, mais à la moindre fatigue les calculs affirmaient leur présence.

A 18 ans, il éprouve des coliques néphrétiques parfaitement caractérisées, les testicules remontaient, les urines étaient troubles, mais ne contenaient pas de sang. Ces douleurs furent ainsi plus ou moins fortes pendant une semaine à peu près. Elles se sont repro-

duites sept à huit fois, jamais il n'a rendu de calcul. La dernière
colique néphrétique a eu lieu à la fin de septembre. Il n'a jamais
eu de vomissements. La marche était très-douloureuse, il souffrait
également beaucoup en voiture. Polyurie. Pus dans l'urine.

Etat actuel. — Grand amaigrissement, pâleur, air de souffrance.

17 octobre. A l'exploration avec la sonde métallique, on trouve
que la pierre, considérable, se prolonge dans le canal, on la sent au-
dessus de l'instrument dans une étendue de 3 1/2 à 4 centimètres.
Le malade urine avec difficulté, il y a un peu de sang et de pus
dans l'urine.

Par le toucher rectal on sent la pierre.

Le 26. Taille. On extrait deux pierres dont le poids total est de
220 grammes.

26 mars 1879. Etat général satisfaisant, le malade demande à
sortir.

Le 27. Exeat. Il ne sort pas une goutte d'urine par la plaie. Le
malade ne rend plus qu'un litre d'urine environ.

Obs. VIII. — Saint-Vincent, n° 27.

Mercier (Hyp.), 66 ans, sans profession. Entré le 13 octobre 1877.

Malade depuis trois ans. Début par des envies fréquentes d'uriner, douleur à la fin de la miction. Douleur au gland, d'abord in-
termittente, puis continue. Les urines sont troubles depuis six mois.
Avant ces six mois, les urines étaient encore claires, mais dépo-
saient un sable rouge.

Au début, il y eut des hématuries peu abondantes provoquées
par les fatigues, voiture et marche. Au début, il rendit un gravier
gros comme une lentille, de couleur rougeâtre et très-dur.

Exploration. — Canal libre, prostate un peu longue, vessie petite.
La sonde d'argent fait entendre à distance un choc sec. Contact
long, environ 4 centimètres, elle repose sur le fond de la vessie, et est
appuyée au col. Aujourd'hui les symptômes vésicaux ont cessé,
mais les urines sont troubles. Elles restent acides, dépôt de phos-
phates.

Le 27. On tente la lithotritie, mais la petitesse de la vessie met un obstacle à l'écartement des branches de l'instrument, on affleure la pierre sans pouvoir la saisir.

Le 31. Taille. On est forcé de briser la pierre pour l'extraire.

. . . .

Obs. IX. — Saint-Vincent, n° 27.

Belalbre (Baptiste), 57 ans, courtier en vins, entré le 21 janvier 1879.

Depuis plus d'un an, le malade remarquait que la fin de la miction était douloureuse ; en même temps, sensation de pesanteur dans le bas-ventre, de temps à autre, douleurs assez vives dans la vessie, pas de sensation de ballottement du calcul, le malade supportait difficilement la voiture, les urines étaient souvent rouges, teintées de sang, il était forcé de se lever la nuit pour uriner et le jour les mictions étaient plus fréquentes ; les mictions étaient de plus lentes et difficiles. Pas d'interruption brusque du jet d'urine. Dans ces derniers temps, il a remarqué souvent des dépôts de graviers rouges dans le fond du vase. Il a eu autrefois des accès de douleurs très-violentes, qu'il faut rapporter probablement à une colique néphrétique.

L'exploration fait découvrir un calcul dans la vessie. Urines assez claires.

On commence par faire la dilatation de l'urèthre.

23 janvier. On passe les n°s 17 et 18.

Le 24. On passe les n°s 19 et 20.

Le 27. On passe le 20 et le 21.

Le 29. On passe le 21 et le 22.

Le 30. Le malade a eu hier un accès de goutte, gonflement au gros orteil, les urines restent claires.

1er février. Encore du gonflement du gros orteil et du bord interne du pied, douleurs encore très-vives. On essaye le salicylate de soude, 4 grammes.

Le 8. On veut faire la lithotritie, mais le lithotriteur n° 2 est arrêté dans la région prostatique ; en effet, la prostate est volumineuse, il faudra pour rendre possible l'introduction, faire pendant quelques jours la dilatation avec les Béniqués ; plus d'accidents goutteux.

Le 10. Pas de fièvre, on recommence la dilatation.

Le 11. Dilatation avec les Béniqués, sur conducteurs, on passe 40, 42, 43, 44.

Le 12. On tente de nouveau la lithotritie qui doit encore être ajournée, on sera obligé d'employer un lithotriteur à portion recourbée plus longue car l'extrémité vient buter sur la paroi supérieure et n'est pas encore dégagée lorsque l'extrémité de l'instrument doit être abaissée pour progresser. La dilatation est suffisante.

Le 14. Hier soir vers six heures, accès de fièvre, envie d'uriner à chaque instant, sensation de brûlure dans le bas ventre. Cataplasmes laudanisés, demi-lavement.

Le 15. La fièvre est tombée, le malade se sent bien.

Le 29. Séance de dilatation, on passe les Béniqués 43, 44.

. . . .

Cette hématurie que nous venons de voir dans les observations précédentes et dans celles qui portent les n°ˢ II, IV, VII, VIII, IX, se montrer d'une manière constante et dans des conditions identiques, c'est-à-dire toujours après le mouvement et cessant presque avec lui, est un symptôme fondamental du diagnostic de la pierre par les signes rationnels. Il n'est donc pas juste de dire, comme le fait Dolbeau (1) : « Que l'hématurie est chose assez commune chez les personnes qui ont la pierre, mais ce signe, comme les précédents, est loin d'être constant : nous verrons, ailleurs, que sa valeur diagnostique n'a pas toute l'importance que lui ont attribuée bon nombre de praticiens. Certes la présence du sang dans l'urine doit être prise en grande considération , mais l'affection calculeuse n'est pas la seule maladie qui s'accompagne de ce symptôme. » Si l'on cherche après ces paroles quelle valeur le même auteur attribue à l'hématurie, on ne le trouve pas, il se contente de dire : « l'hé-

(1) Dolbeau. Loc. cit., p. 48.

maturie, elle-même, accompagne fréquemment les lésions de la partie profonde de l'urèthre et du col de la
vessie. » (Loc. cit., p. 55.)

S'il est vrai, comme le dit l'auteur que nous venons
de citer, que l'hématurie n'est pas spéciale à l'affection
calculeuse, et qu'on la retrouve dans d'autres, il est vrai
aussi que celle dont nous nous occupons a une marche
spéciale, et qu'il semble difficile que l'on puisse se tromper sur sa valeur.

« Lorsque, dit un auteur moderne, l'hématurie a son
point de départ dans la vessie, le sang ne sort guère
qu'au moment où le malade finit d'uriner, et il n'est
peut-être pas aussi intimement lié à l'urine que dans
l'hématurie d'origine rénale; mais encore, ce dernier
signe (quelquefois invoqué) n'a-t-il le plus ordinairement qu'une valeur illusoire : et le plus souvent on ne
peut considérer la vessie comme fournissant le sang qui
s'échappe, qu'autant qu'il existe concurremment un en-
semble de signes propres à établir que l'organe renferme
un ou plusieurs calculs, ou bien qu'il est atteint d'une
altération organique, telle que tumeur, cystite simple
ou cystite liées à l'existence de tubercules. »

La citation que nous venons de faire, répond par
une autre question à celle que nous avons posée. Nous
cherchons à démontrer que l'hématurie est un signe, et
dans certaines conditions, un signe certain de l'affection
calculeuse ; l'auteur cité nous dit qu'il faut d'abord savoir s'il y a un calcul pour attribuer à l'hématurie sa
valeur.

Nous allons voir que dans les hématuries qui peuvent

(1) Larcher. Dict. scienc. méd. pat., t. XVII, p. 353.

provenir des différents organes de l'appareil génito-urinaire, on ne retrouve pas ce caractère essentiel noté dans
presque toutes les observations que nous avons citées,
hématurie suivant immédiatement une course soit à
pied, soit en voiture, ou un travail fatiguant, et s'arrê-
tant dans un espace de temps assez court.

Une hématurie qui aurait pour point de départ les
uretères est un fait rare, qui ne se produit que quand
ils ont subi quelque lésion traumatique ou bien lorsqu'un calcul rénal s'est engagé dans l'un d'eux, et le
déchire au passage. Dans ce cas, le malade éprouve les
symptômes caractéristiques d'une colique néphrétique.
Est-ce là ce qui se passe dans l'hématurie vésicale d'origine calculeuse? Non. Les malades souffrent, mais ils
souffrent au bout de la verge, à l'anus, rarement dans
les reins. Combien n'y a-t-il pas de ces hématuries qui
se font, pour ainsi dire, sans douleur aucune. Le malade marche; sous l'influence de la locomotion de la
pierre, sa vessie est lésée, surtout il éprouve le besoin
d'uriner; il urine et il s'aperçoit alors que son jet est
couleur sirop de groseille. Il y a loin de là à un malade
forcé de s'arrêter et se tordant sur son lit, en proie à
une colique néphrétique. Il est certain que cet accès ne
sera pas oublié par le malade, lorsqu'il constatera du
sang dans ses urines, et qu'il viendra consulter.

Dans le cancer du rein, outre la tuméfaction quelquefois appréciable de la région lombaire et les douleurs,
l'hématurie se fait remarquer par sa persistance surtout
dans les premiers temps du mal. De plus, quand il
s'agit de lésions organiques à évolutions lentes, on
trouve ces lésions toujours liées à un état général plus
ou moins cachectique. Ici encore la marche de l'héma-

turie diffère essentiellement de celle que l'on rencontre chez les calculeux. La marche peut l'influencer, mais le repos ne la fait pas cesser, ce qui a lieu le plus habituellement au contraire chez les malades dont nous nous occupons.

Quant à la cachexie, elle se rencontre parfois chez les calculeux, car elle peut être amenée chez eux par un état de souffrances plus ou moins vives, mais il arrive aussi (observation citée p. 17) que souvent un malade porte un calcul depuis longtemps et que son état de santé se maintient pour ainsi dire parfait.

Le cancer de la vessie peut encore, comme le dit Civiale, donner lieu à des hématuries, même abondantes, mais qui se reproduisent à des époques rapprochées et sans causes appréciables, et il ajoute que ce symptôme manque fréquemment dans les cas de cancer.

Quant aux hématuries périodiques ou supplémentaires provenant de la suppression d'un flux sanguin habituel, tel que des hémorrhoïdes, le fait est rare et loin d'être admis par tous les auteurs. Civiale en rappelle quelques exemples qui semblent concluants, tandis que Thompson n'en parle même pas.

Si l'hémorrhagie a pour cause une hypertrophie de la prostate ou une dégénérescence de cette même glande, le sang n'apparaît guère dans les urines qu'à la fin de la miction ou après le passage d'un instrument dans le canal. Ce n'est pas le cas pour l'hématurie calculeuse, cette hématurie ne venant, la plupart du temps, que lorsque les mouvements du malade ont produit une locomotion plus ou moins prolongée de la pierre, le sang est mêlé à l'urine et le premier jet est aussi bien coloré que le dernier. Du reste, dans nombre de cas, l'âge du malade et la difficulté d'émission de l'urine, renseignent le médecin sur la nature de la maladie.

Après avoir passé en revue des reins au col de la vessie les différentes parties de l'appareil urinairequi peuvent fournir du sang, il ne nous reste plus qu'à parler des hématuries provenant du canal lui-même.

Quand l'hématurie est liée à un rétrécissement d'un canal on a pour dissiper le doute, outre les antécédents du malade et l'histoire de son affection, l'intervention d'une cause provocatrice manifeste, c'est-à-dire la plupart du temps l'essai du passage d'un instrument.

L'hématurie qui se retrouve dans un nombre considérable d'affections n'offre nulle part autant de régularité que quand la vessie est habitée par un calcul. Le malade est tranquille, il rend des urines claires, mais il se lève, il marche ou il travaille et les urines sont teintes par l'apparition du sang.

Ainsi, l'hématurie se produit après une course en voiture (obs. IV), après une course à pied (obs VII), après une fatigue quelconque (obs. VIII), ou enfin dans quelques observations sans que le malade se rappelle ce qui a précédé l'apparition du sang.

Si donc nous tenons compte et du moment où apparaît l'hématurie, et de ce fait que dans les observations il n'est fait mention que d'une durée tout à fait restreinte, nous avons les deux caractères de l'hématurie calculeuse.

Déformation du jet. — Il nous reste maintenant à parler d'un dernier symptôme rationnel des calculs de la vessie, nous voulons dire des interruptions brusques du jet d'urine ou plutôt de ses déformations. Ce signe est souvent considéré par les malades et par les médecins

comme étant d'une très-grande importance. Nélaton (1),
qui en fait mention comme beaucoup d'autres auteurs,
semble le considérer comme accessoire. « Souvent, dit-il,
pendant la miction, le jet de l'urine se trouve brusquement interrompu et reparaît un instant après : il y a
lieu de croire que, dans ce cas, le calcul poussé par le
flot d'urine vient se mettre en contact avec le col vésical
et fait l'office de soupape. Puis, si le malade fait un
mouvement, si la vessie se contracte énergiquement,
l'écoulement de l'urine recommence pour cesser encore. »
L'auteur que nous venons de citer n'ajoute rien de plus.

Quant au livre de Civiale sur l'affection calculeuse,
et au traité plus récent de Thompson, ils sont muets sur
cette question.

Ce signe pour des raisons que nous allons exposer ne
se produit pas chez tous les malades, et même ne se re-
produit pas dans toutes les occasions chez le même indi-
vidu.

L'explication donnée plus haut par Nélaton qu'il « y a
lieu de croire que dans ce cas le calcul poussé par le flot
d'urine vient se mettre en contact avec le col vésical et
fait l'office de soupape » est restée seule admissible.
Mais il y a des conditions particulières pour que ce fait
se produise. Il faut que la vessie se contracte assez
énergiquement et que l'orifice interne de l'urèthre soit
au niveau du plancher vésical.

Chez quels individus ces conditions seront-elles le
mieux remplies? Chez les enfants et chez les adultes,
chez les enfants surtout. C'est pourquoi ce signe se
trouve surtout signalé pour les calculs de l'enfance.

(1) Eléments de pathologie chirurgicale. Paris, 1859, t. V, p. 188.

Il existe cependant aussi chez les malades qui, quoiqu'ayant atteint l'âge où la prostate devient volumineuse, ont échappé à cette hypertrophie.

Ce fait de déformation ou d'arrêt brusque du jet est loin d'être rare. Il est mentionné dans les observations V et VII que nous avons rapportées plus haut, et aussi dans les suivantes.

Obs. X. — Saint-Vincent, n° 18.

Preugnant (Eugène), 61 ans, employé, entré le 17 février.

Pas de coliques néphrétiques. Pas d'hémorrhoïdes, rien au cœur ni aux poumons. Pas d'accidents arthritiques. Pas de troubles digestifs, état général satisfaisant.

L'attention du malade a été éveillée il y a deux ans par les interruptions brusques du jet d'urine qui se produisaient assez souvent quand il était levé, mais qui ne se sont pas reproduites depuis plus de cinq mois. Depuis cette époque les envies d'uriner sont devenues plus fréquentes, dans ces derniers temps il était obligé de se lever jusqu'à 10 ou 20 fois la nuit car il se fatiguait beaucoup, étant obligé par sa profession de marcher souvent il était forcé de s'arrêter, de garder la chambre, il avait alors des urines colorées. Depuis son entrée à l'hôpital il urine environ 5, 6, 7 fois la nuit et 4 à 6 fois le jour. Il urine lentement. Il a toujours uriné plus souvent la nuit que le jour. Il a eu quelques cuissons le long du canal, elles ont maintenant disparu. Un peu de prurit du méat déterminant des démangeaisons assez vives, pas de signes de cystite bien accusés, pas de douleurs assez vives dans le bas ventre, mais le malade ne peut rester en place. Depuis le mois de décembre, il ne pouvait plus rester étendu immobile. Il éprouvait une sorte de gêne douloureuse qui le forçait à prendre et à presser la verge. La voiture n'est pas supportée, le besoin d'uriner se fait sentir rapidement. Quand il se retourne dans son lit il a souvent la sensation de la chute, du ballottement du calcul. Les urines depuis quinze mois sont troubles. Elles laissent un dépôt glaireux, parfois elles sont rouges.

On fait l'exploration de la vessie, on ne trouve qu'une seule pierre qui doit avoir environ 3 centimètres de diamètre.

20 février. On fait la dilatation, on passe des bougies 18 et 19.

Le 25. On passe 20 et 21. . . . .

Obs. XI. — Saint-Vincent, n° 3.

Hanaux (Eugène), 38 ans, pilote, entré le 11 février.

Le malade a été uréthrotomisé en 1870 pour la première fois, le rétrécissement datait de 1861, une seule blennorrhagie en 1859. Il n'urinait plus en 1870 que par gouttes, l'uréthrotomie dut être refaite dans le service au mois de janvier 1878, puis refaite encore avec une lance plus large ou mois de juillet. Depuis lors, le malade urine assez bien. Mais dès le mois de janvier on constata la présence d'un calcul qui s'était formé probablement sous l'influence de cette retention d'urine prolongée ; la lithotritie fut faite au mois de juillet, elle fut bien supportée, on fit cinq séances, à la sixième on voulut endormir le malade qui s'effraya et partit. Bientôt il dut revenir car il avait de nouveau des douleurs vives dans le bas-ventre et des troubles graves de la miction, mais chaque fois, il prit peur et l'opération ne put être faite. Aujourd'hui le malade est très affaibli, le facies est pâle et défait, besoins d'uriner excessivement fréquents. Il urine plus souvent le jour, parfois toutes les cinq ou dix minutes ; il urine très-peu à la fois. Il a constaté qu'il lui arrive encore parfois d'avoir des interruptions brusques du jet d'urine lorsqu'il urine debout, interruptions qui ne se produisent pas quand il urine couché. La miction est peu douloureuse. Il y a un peu de cuisson le long du canal. Mais les douleurs sont vives surtout dans la vessie au niveau du col. La marche est impossible. Les urines sont troubles, purulentes, laissant un dépôt très-abondant, elles ne renferment plus de graviers. Il sent très-bien son calcul qui se promène dans la vessie au moindre mouvement qu'il fait dans son lit, de telle sorte qu'il ne peut se retourner, se lever qu'avec précaution et lenteur. Pas de fièvre, la peau est sèche, pas de sudations, l'appétit est assez satisfaisant ;

la langue est blanche, humide. Constipation opiniâtre, pas de nausées ni de vomissements.

A l'exploration avec un instrument métallique, on trouve un calcul volumineux, qui nécessitera la taille. . . . .

OBS. XII. — Saint-Vincent, n° 23.

Chebroux (Etienne), 67 ans, conducteur de trains, entré le 29 janvier 1878.

Homme bien constitué ; aujourd'hui, facies un peu pâle, amaigrissement, perte de forces. Jamais de coliques néphrétiques, souvent quelques douleurs lombaires. Santé générale assez bonne jusqu'à ces dix dernières années. Il y a six ans il a été lithotritié pour la première fois ; six mois avant l'opération, envies fréquentes d'uriner. Après cinq ou six séances de lithotritie, il fut débarrassé et put reprendre son service de chef de train. Dix-huit mois après, une nouvelle lithotritie devenue nécessaire lui permit de reprendre sa profession pendant un an. Depuis quatorze mois plusieurs séances de lithotritie ont été faites soit chez lui, soit à l'hôpital Lariboisière où il est entré pendant quelques jours. Tout récemment deux tentatives pratiquées à huit jours d'intervalle sont restées à ce qu'il paraît sans résultat. On trouve chez cet homme des symptômes de calcul et des symptômes de cystite. Besoins fréquents d'uriner pendant la nuit, toutes les demi-heures àpeu près ; dans le jour, toutes les demi-heures ou toutes les heures, il ne peut donner de renseignements très-précis à cet égard, mais les besoins d'uriner deviennent bien plus fréquents si le malade marche, se livre à un travail ou se fatigue. La marche lui est devenue bien difficile, il est pris aussitôt dans le bas-ventre et de douleurs lombaires qui le forcent à s'arrêter. Pas de sensation de ballottement du calcul. Les douleurs de ventre, parfois très-vives, sont un peu calmées par le repos : cependant même le repos au lit ne les calme pas complétement. A certains jours il y a plus qu'une sensation de lourdeur, de pesanteur dans le bas-ventre, il éprouve des douleurs assez vives sans qu'aucune fatigue ne les ait provoquées. Il a encore parfois des interruptions brusques du jet d'urine, mais l'urine s'écoule au moindre mouvement. Les mictions sont excessivement douloureuses, il y a évidemment de la cystite, les douleurs sont plus violentes au début de la miction et souvent le malade souffre encore un quart d'heure après avoir uriné. Les cuissons sont vives tout le long du canal. Les urines sont louches, purulentes, rendues chaque fois en très petite quantité. Il y a quatre ans, il a rendu du sang dans ses urines. Jamais depuis. Aujourd'hui, elles laissent déposer un sédiment purulent très-abondant. Le malade en rend environ un litre et demi dans les vingt-quatre heures. Il n'a constaté de graviers dans l'urine qu'après les diverses séances de lithotritie. Langue blanchâtre, pas d'appétit, pas de constipation, jamais d'hémorrhoïdes. Quelques douleurs rhumatismales. Il y a sept ou huit mois un peu d'œdème des membres inférieurs.

On fait l'exploration de la vessie. Il y a plusieurs petites pierres donnant un bruit de cliquetis très manifeste. On trouve un fragment plus volumineux pouvant mesurer environ 3 centimètres de diamètre.

5 février. Séance de lithotritie. On introduit le lithotriteur à mors plats avec un peu de difficulté, la prostate étant très volumineuse. Les douleurs sont très vives, la vessie étant très sensible et très contractée au point de dissimuler les fragments. On ajourne la lithotritie.

Le 8. On endort le malade. Lithotriteur à mors plats, n° 2. La séance dure 13 minutes environ. Avec le premier instrument 22 prises, avec le second 17. Lavage, fragments de pierre blanche formant une véritable bouillie.

Le 10. L'opération n'a pas provoqué d'élévation de température, Le malade souffre toujours beaucoup en urinant, lavage. L'introtroduction de la sonde arrache des cris au malade, les urines restent troubles, deux litres un peu de sable blanchâtre est évacué par le lavage.

Le 13. Lavage; le malade a beaucoup souffert cette nuit.

Le 15. Séance de lithotritie sous le chloroforme, on introduit d'abord le lithotriteur à mors longs, puis celui à mors courts, on débarrasse complétement la vessie. Lavage avec la poire aspiratrice de Begelowe.

Le 17. Pas de sueur, le malade souffre moins, les envies d'uriner sont un peu moins fréquentes, urines troubles.

On voit par les observations que nous venons de rapporter, et par celles qui sont citées plus haut que ce signe existe réellement, mais il manque dans un grand nombre d'observations chez des malades qui cependant étaient porteurs de calculs. On aurait donc tort de s'appuyer sur son absence pour nier l'existence d'un calcul.

Mais si, outre les conditions anatomiques nécessaires à la production de ce symptôme, nous examinons les conditions dans lesquelles il s'est produit, nous voyons que chez tous les malades il a eu lieu alors que la miction s'opérait dans la position verticale. C'est en général celle dans laquelle on urine. Mais de même que nous avons vu que quand il s'agissait de la douleur ou de la fréquence de la miction il fallait rechercher ce qui se passe lorsque le malade est couché ; de même ici il faut s'enquérir de ce qui a lieu dans ces conditions. Si l'on se reporte aux observations précédentes, on voit que le phénomène n'avait pas lieu dans la position horizontale. Et c'est même, alors qu'il se produit à chaque contraction de la vessie, la seule position qu'ont les malades pour pouvoir rendre leurs urines. C'est de l'étude comparée de la miction horizontale et de la miction verticale que se tire la valeur séméiologique de ce signe.

Ce symptôme se produit en général, comme nous venons de le voir, chez des enfants et chez des adultes parceque chez eux existent les conditions anatomiques que nous avons mentionnées plus haut. Mais on peut aussi le rencontrer dans des conditions déterminées chez

un malade qui, quoique ayant une prostate volumineuse,
possède néanmoins une vessie qui se contracte bien. Cela
se rencontre lorsque l'on a affaire à un calcul léger et
petit qui flotte dans le liquide vésical. On comprend
alors que ce calcul, n'étant pas entraîné par son poids au
fond de la vessie, puisse venir, pendant les contractions
de celle-ci, s'appliquer à l'orifice interne de l'urèthre.

Lorsqu'on se trouve en présence d'un cas semblable à
celui que nous venons d'indiquer, on peut affirmer que
la vessie n'est habitée que par un petit calcul.

SECONDE PARTIE

DIAGNOSTIC CHIRURGICAL DE LA PIERRE.

EXPLORATION DE LA VESSIE.

Dans la première partie, nous nous sommes renseigné à l'aide de symptômes qui permettent de soupçonner, — et même de soupçonner d'une façon qui se rapproche beaucoup de la certitude, — la présence des pierres dans la vessie. Nous avons le droit maintenant, pour arriver à la confirmation des hypothèses que nous avonspu former, de recourir à l'examen direct, et de faire courir aux malades les risques de cette exploration.

Pour faire l'examen direct, il est nécessaire de pratiquer l'exploration intra-vésicale à l'aide des instruments métalliques.

Il y a deux instruments qui servent à cet effet, et qui sont nécessaires pour arriver à un diagnostic exact, c'est la sonde à petite courbure, à courbure brusque, analogue à celles que Mercié a préconisées (1) et qui ont constitué au point de vue du diagnostic de la pierre, un progrès incontestable. Cette courbure qui non-seulement se rapproche de l'angle droit, mais est petite, permet à

(1) On en retrouve le dessin dans l'ouvrage de Tolet: « Traité de la Lithotomie. » Paris, 1686, p. 94.

l'instrument, quand il est introduit dans la vessie, de pouvoir être tourné et être porté dans tous les sens, de façon à ne laisser aucun point de la vessie en dehors de son action, ce qui est impossible avec une sonde ordinaire.

La sonde adoptée par un grand nombre de chirurgiens, est le modèle préconisé en Angleterre par Thomson. Ce modèle se distingue des autres par une extrémité boutonnée et mousse qui a une assez grande importance. Cette extrémité permet de traverser plus facilement l'urèthre sans le léser et présente dans la vessie une surface d'exploration plus étendue. La tige est plus petite que l'extrémité de la sonde, ce qui présente un autre avantage. En effet la partie de la sonde qui reste dans l'urèthre, non-seulement n'a pas besoin d'être sentie, mais ne doit pas l'être. On arrive ainsi à supprimer autant que possible le frottement de l'urèthre sur la sonde.

L'exploration à l'aide de la sonde n'est, en effet, comme le dit si bien M. le professeur Guyon, qu'un toucher intra-vésical par l'intermédiaire d'un instrument. La portion vésicale étant celle qui doit donner toutes les sensations, moins il y a de frottement dans l'urèthre, et plus on est à même de bien percevoir ce qui se passe dans la vessie.

Si l'instrument ne fait, comme nous venons de le dire que prolonger l'action de la main, il est utile que la main soit le plus possible en contact avec l'instrument. C'est pour cela que l'extrémité en forme de cylindre est substituée aux autres dans tous les instruments, soit de l'exploration, soit de lithotritie. Le second instrument nécessaire et indispensable pour le diagnostic n'est autre que le lithotriteur lui-même.

Quant à l'introduction de l'instrument explorateur, sonde ou lithotriteur, elle est réglée comme une véritable opération chirurgicale. M. le professeur Guyon a, dans une de ses dernières leçons cliniques, faite à l'hôpital Necker, tracé ses règles d'une façon si précise que nous ne pouvons mieux faire que de rapporter ses paroles. La citation est longue il est vrai, mais comme de l'observation de ces règles dépend souvent le succès de la recherche, on nous saura gré de l'avoir faite.

Les règles données ici s'appliquent spécialement dans la leçon de l'auteur au lithotriteur, mais ce sont les mêmes qu'il recommande d'observer dans l'emploi de la sonde exploratrice.

« Nous allons parler aujourd'hui de ce temps de l'opération qui consiste à franchir l'urèthre pour arriver dans la vessie; il est vrai que les règles du cathétérisme doivent s'appliquer, d'une façon générale à l'introduction des instruments lithotriteurs. Elles doivent même s'y appliquer d'une façon très-absolue. Ces règles ou plutôt ces principes, je vous les ai déjà définis, — car il ne faut pas confondre ici principes et règles, — en vous disant que l'instrument, qui parcourt le canal pour arriver dans la vessie, doit avant tout être dirigé de telle sorte que le chirurgien puisse à tout instant savoir où est l'extrémité de son instrument, et qu'à tout instant il puisse recueillir tontes les sensations que l'instrument doit lui transmetre. Je vous disais sous une forme peut-être humoristique. mais qui exprime une vérité, qu'on pourrait définir le cathétérisme en disant que c'est un recueil de sensations. En effet, c'est là un principe qui doit dominer dans l'introduction de tous les instruments, préoccupation constante de toujours savoir où est l'extrémité de l'instrument que l'on a portée dans la profondeur. On doit recueillir à l'aide de cette extrémité les sensations que fournit l'anatomie normale, et aussi les sensations que peut mettre sur notre route l'anatomie pathologique.

« D'abord occupons-nous des sensations que doit nous donner l'anatomie normale, nous parlerons ensuite des lésions.

« Au point de vue normal, vous ne devez vous attendre à recueillir des sensations de quelque importance que lorsque votre instrument a parcouru toute la portion dite spongieuse du canal, c'est-à-dire lorsqu'il a déjà franchi cette étape en apparence considérable qui sépare le méat du pubis. A moins que vous n'ayez affaire à un méat étroit, qui constitue une sensation à l'extérieur, à moins que vous n'ayez par conséquent un cas pathologique, votre instrument doit parcourir toute cette portion du canal sans qu'aucune sensation particulière puisse être perçue. Il est bien entendu que dans toute cette première partie comme dans tout le reste, vous introduisez lentement et doucement. Mais, lorsque vous arrivez en face du pubis, lorsque vous avez à quitter cette première partie de l'urèthre où vous avez marché dans une voie facile et simple, pour entrer dans la partie profonde où vous allez rencontrer les difficultés, vous devez devenir attentifs, aussi attentifs que vous l'êtes lorsque vous faites une ligature d'artères, et qu'après avoir coupé la peau et le tissu cellulaire, vous mettez l'aponévrose à nu. Vous savez qu'alors s'ouvre le champ non pas des hasards, mais des dangers possibles puisque vous allez tomber plus ou moins vite dans le terrain vasculaire.

« L'orifice sous-pubien commence pour vous la période difficile, la période même dangereuse de l'introduction. L'attention est d'autant plus indispensable que tout concourt pour que ce premier point du cathétérisme à la partie profonde vous offre des difficultés sérieuses. Votre instrument a cheminé en écartant les deux parois uréthrales, mais soyez bien sûrs qu'il a fait subir à la paroi inférieure une dépression bien plus grande qu'à la supérieure ; c'est presque aux dépens de cette paroi qu'il a fait son chemin; n'étant recouverte que par la peau elle a toute raison de fuir devant votre instrument, et elle se laissera d'autant plus distendre, que vous approcherez davantage du but, si bien que, lorsque vous êtes arrivé à la partie la plus profonde, c'est-à-dire au cul-de-sac du bulbe, votre instrument rencontre une espèce de cavité où il peut se mouvoir, tourner et se perdre, car il y a là un espace virtuel relativement considérable, ainsi qu'il me serait facile de vous le démontrer si je vous rappelais des expériences que j'ai faites à ce sujet.

« Eh bien, dans cet espace virtuel, je vous disais que l'instrument peut trouver de quoi se perdre : et cependant il a une route à suivre : il faut qu'il entre dans la portion membraneuse, qu'il s'introduise sous le pubis pour arriver à la vessie. Et cela est d'autant plus difficile qu'à côté de cette portion lâche vous avez à arriver à une portion relativement très-fixe, et à une portion qui, en définitive, au point de vue de sa structure et de sa configuration, présente un contraste parfait avec celle que vous allez abandonner.

« Presque toujours vous aurez la préoccupation d'entrer dans cette portion de l'urèthre dès que vous aurez commencé le cathétérisme. Vous avez à peine introduit l'instrument dans l'urèthre que déjà votre pensée et reporte à cette ouverture sous-pubienne, et déjà, alors que votre instrument cheminait dans cette porsion où cependant il est si à l'aise, vous êtes plus ou moins préoccupé de savoir comment il va arriver à cette ouverture. Si bien que vous la visez alors que vous n'êtes que dans le commencement de l'urèthre.

« C'est en effet en spéculant de la sorte que l'on a tracé les règles du cathétérisme, et l'on s'est préoccupé d'arriver à cette ouverture alors que l'on en est encore très-éloigné. On recommande d'introduire l'instrument d'abord parallèlement à l'aine, puis de le ramener peu à peu sur la ligne médiane, de tendre la verge pour effacer les plis, afin d'être déjà prêt à entrer à un moment où cependant vous êtes séparés par une distance relativement longue de l'ouverture sous-pubienne.

« Eh bien, cette manière de procéder est certainement défectueuse ; elle s'affranchit d'une des règles les plus nécessaires de la médecine opératoire, de cette règle indispensable qui consiste à n'arriver à un point déterminé qu'après s'être donné sur la route des points de repère. Vous vous êtes disposés de façon à arriver, mais apres vous être ainsi placés vis-à-vis de ce point, vous êtes abandonnés au hasard, et d'autant plus que vous vous rapprochez davantage de la destination.

« Depuis longtemps, frappé de l'inconvénient qu'il y a à vouloir beaucoup trop tôt arriver au but, et surtout frappé de cette dérogation aux formules opératoires ordinaires, j'ai voulu trouver un point de repère, j'ai même cherché à changer l'obstacle en aide, c'est-à-dire, à faire que ce cul-de-sac du bulbe, qui est l'écueil de la première portion, en devint le guide. Aussi j'ai l'habitude, vous l'avez vu encore ce matin, de présenter l'instrument à l'urèthre avec une seule préoccupation, celle d'arriver dans le cul-de-sac du bulbe sans m'inquiéter tout d'abord d'arriver dans la portion sous-pubienne.

« Ainsi, vous le voyez, j'abandonne tout de suite l'idée d'arriver dans la portion sous-pubienne. De même lorsque vous faites la ligature de l'humérale, vous recherchez d'abord le bord interne du biceps. Il sera représenté ici par le cul-de-sac bulbaire. Mais il faut y arriver de telle sorte que vous ne vous y perdiez pas. Et pour que vous ne vous y perdiez pas, il faut qu'il soit assez tendu pour vous présenter une surface plane, résistante, pouvant servir de guide à la manœuvre que vous allez avoir à effectuer. Pour cela, j'ai l'habitude de présenter l'instrument lithotriteur de telle sorte que l'ayant introduit à peu près perpendiculairement à la face interne de la cuisse, et quelquefois même plus que perpendiculairement à cette surface, l'inclinant un peu en bas, j'ai simplement la préoccupation de faire arriver mon lithotriteur dans le cul-de-sac, de façon à ce qu'il se présente transversalement, si bien que du talon au bec de l'instrument, le cul-de-sac du bulbe se trouve sous-tendu, et plus que sous-tendu, tendu complétement.

« De cette façon vous avez deux avantages. Vous savez très-bien que vous êtes arrivés au cul-de-sac du bulbe, et vous évitez cette faute qui consiste à commencer trop tôt le mouvement d'abaissement.

« Vous êtes ainsi au cul-de-sac du bulbe, vous êtes à ce moment un peu au-dessous de l'ouverture dans la-

quelle vous devez avoir à pénétrer; et si vous ne tour-
nez pas précisément le dos à cette ouverture, certainement le bec de votre instrument en est relativement
très-éloigné. Mais par cela même que vous sentez le cul-
de-sac du bulbe, pour peu que vous laissiez l'instrument
évoluer, il va nécessairement se tourner de lui-même et
venir gagner cette ouverture dont vous préparez l'accès
en sous-tendant ce cul-de-sac qui est devenu votre auxi-
liaire au lieu d'être l'occasion de votre perte. Il vous a
servi au lieu de vous nuire parce que vous avez commencé la manœuvre au bon moment, et ses parois bien
tendues, qui sont en continuité avec l'orifice sous-pubien, vous y conduisent forcément, si bien que dans la
majorité des cas vous n'avez rien à faire. Vous m'avez
vu bien souvent, à ce moment, abandonner l'instrument
et le laisser tourner de lui-même.

« Ainsi donc, pour faire pénétrer l'instrument lithotriteur, vous devez tout d'abord le présenter à peu près
perpendiculairement à la cuisse, même un peu oblique-
ment si cela vous facilite la pénétration. Ne craignez
même pas de laisser le bec de l'instrument regarder en
bas, puis conduisez-le doucement jusqu'à ce que vous le
sentiez s'arrêter. Il est alors là sur un plan résistant sur
lequel vous vous gardez bien de faire effort, car cette
paroi de l'urèthre a un défaut, celui de se laisser facilement déchirer. Le poids de l'instrument seul suffit pour
tendre cette paroi, vous n'avez nullement besoin d'appuyer pour que la tension soit suffisante. A ce moment,
soit en relevant seulement la verge sur le ventre, soit
en laissant l'instrument évoluer, vous êtes très-surpris
de le voir s'engager, et quelquefois pas du tout sur la
ligne médiane, car il ne faut pas croire que l'ouverture

y soit toujours. Donc cette espèce de demi-tour a encore
cet avantage que si l'ouverture n'est pas médiane, le bec
de l'instrument la rencontre en route. Et si un demi-
tour de droite à gauche ne vous donne pas ce que vous
voulez, vous le tenterez de gauche à droite. Vous trou-
verez ainsi l'ouverture en faisant une manœuvre douce
qui n'est pas comparable à celle que l'on exécute en
s'appuyant sur la paroi inférieure où l'on s'expose à
faire des dégâts.

« Ceci, en définitive, pourrait s'appeler : le tour de
maître du bulbe. J'ai tout lieu de croire que les anciens
chirurgiens qui préconisaient ce tour de maître sans en
donner les règles, ne réussissaient que lorsqu'ils arri-
vaient à sous-tendre le cul-de-sac du bulbe et à se laisser guider sans le savoir par sa paroi inférieure rendue
fixe par sa tension. La manœuvre qu'ils ont préconisée
a été abandonnée, comme doit l'être toute manœuvre
aveugle où le succès est abandonné au hasard. Aussi
ai-je eu soin de vous définir les règles de celle que je
préconise. »

Les paroles que l'on vient de lire diffèrent sensible-
ment de ce que l'on trouve dans les traités les plus
récents. M. le Dr Guyon considère, nous venons de le
voir, l'introduction d'un instrument droit à courbure
brusque (lithotriteur ou sonde) comme une véritable
opération qui présente ses dangers. Dolbeau, dans son
traité de la pierre dit bien qu'il n'est pas aussi facile d'introduire une sonde droite ou un lithotriteur qu'une sonde
ordinaire, et il recommande de ne pas faire trop tôt le
mouvement d'abaissement pour ne pas labourer la paroi

(1) Dolbeau. Loc. cit., p. 65.

supérieure de l'urèthre avec le bec de l'instrument ;
« Arrivé au niveau du bulbe, djt-il, il faut que l'instrument soit dirigé verticalement, pour que sa portion
coudée puisse s'engager sous la région membraneuse.
Vient ensuite le moment d'abaisser le pavillon du cathé-
ter, et alors commence la véritable difficulté, qui est
d'autant plus grande que la courbure de la sonde est
plus brusque, » mais il ne dit pas comment l'on trou-
vera l'orifice dans lequel on doit s'engager.

Thompson, du reste, lui non plus, n'a pas songé à
faire du cul-de-sac du bulbe un point de repère, il constate que c'est à ce moment que les opérateurs novices
produisent des dégâts à la paroi supérieure de l'urèthre
pour avoir abaissé trop et trop tôt l'instrument. « Il
suffit, dit-il, pour pénétrer (l'instrument étant perpen-
diculaire) de laisser agir le poids de l'instrument, tandis
qu'on tient le pénis légèrement tendu, dans une direc-
tion également verticale. »

Quand le premier temps de la manœuvre est accom-
pli, le chirurgien a pour but d'arriver à la prostate et de
se rendre compte des difficultés que peut alors
rencontrer l'instrument. Soit que l'on maintienne l'instrument, soit qu'on l'abandonne à son propre poids, on
abaisse alors les parties molles du pubis, non pas tant
pour rendre l'introduction de l'instrument plus facile,
que pour éviter au malade le tiraillement désagréable
qui a lieu sur le ligament suspenseur de la verge. On fait
alors avancer l'instrument par de petits mouvements de
reptation.

Si l'instrument est arrêté dans sa marche par un lobe

(1) Thompson. Loc. cit., p. 662.

de la prostate, on le dégage ou l'on en change, ou bien on prépare la région prostatique du canal par le passage de grosses sondes.

En résumé, dans le cathétérisme avec les instruments droits, il y a deux temps principaux : le premier qui a pour but d'aller du méat à l'orifice sous-pubien, l'autre de ce point à l'orifice vésical. Le premier a pour objectif de rencontrer un point de repère qui est le cul-de-sac ou bulbe, le second, la prostate.

Dès que l'instrument est introduit dans la vessie, presque toujours on rencontre le calcul et le résultat est acquis.

Mais il y a des conditions qui font que l'on peut ne pas trouver un calcul qui cependant existe. Ces conditions sont au nombre de deux : 1° L'instrument n'a pas pénétré dans la vessie. 2° L'instrument a pénétré, mais on se trouve en présence d'une vessie irrégulière qui peut dissimuler plus ou moins le calcul.

L'instrument n'a pas pénétré dans la vessie ? Il semble au premier abord qu'il ne soit pas possible de croire que l'on a fait une exploration complète alors qu'on est resté en route. Cependant il peut arriver que l'explorateur métallique reste dans la région ou plutôt la cavité prostatique, suivant l'expression du professeur Guyon. Ce fait là arrive chez les sujets qui ont une hypertrophie des trois lobes de la prostate. Ils présentent un élargissement prononcé du canal prostatique qui permet à un instrument d'être tourné quelque peu à droite ou à gauche, si bien qu'on peut croire avoir exploré la vessie alors qu'on est resté dans la prostate. On aura il est vrai, le sentiment qu'on a eu affaire à une vessie difficile, mais la profondeur à laquelle aura pénétré l'ins-

trument et la somme des mouvements obtenus donne-
ront plus de vraisemblance à l'erreur.

Comment donc saura-t-on si l'on est dans la vessie ?
Cette notion se tirera précisément de la façon métho-
dique avec laqu'elle l'introduction de l'instrument aura
été faite. Si l'on a reconnu avec soin les points de
repère : cul-de-sac du bulbe et défilé protastique, on
aura toutes les chances de ne pas se tromper. C'est une
affaire de sensation. Il ne faut pas se baser sur la profondeur à laquelle l'instrument a pénétré, la longueur
de l'urèthre variant chez les divers malades, mais s'en
rapporter à ce que l'on éprouve. Lorsque les sensations
de cheminement pénible ont cessé, lorsqu'au lieu
d'une liberté relative l'extrémite de l'instrument a une
liberté réelle, on peut affirmer qu'on est dans la vessie.

Il existe cependant des malades chez lesquels on ne
sent pas la prostate dans le second temps du cathétérisme. On arrive d'emblée à la paroi postérieure de la
vessie et l'on pourrait produire des accidents si l'on vou-
lait aller plus loin. Il suffit pour les éviter de ne jamais
essayer de franchir un obstacle avant d'avoir pratiqué
des mouvements de latéralité destinés à se reconnaître ;
s'ils sont libres et si l'on peut aussi faire des mouvements
d'avant en arrière, on est dans la vessie. En effet, ce qui
caractérise la sensation que l'on éprouve lorsque l'instrument est dans la vessie, c'est la facilité réelle avec
laquelle se font les manœuvres de l'extrémité vésicale de
l'instrument.

La cause d'erreur que nous venons de mentionner et
sur laquelle insiste avec tant de raison M. le professeur
Guyon, ne se trouve indiqué dans aucun des auteurs
que nous avons consultés, Civiale, Nélaton, Dolbeau,

Thompson, n'en parlent pas, ils ne citent comme pouvant s'opposer à la rencontre de la pierre que les conditions particulières de la vessie : encellulement, hypertrophie de la prostate, ampleur ou étroitesse extrême de la vessie.

Les conditions qui du côté de la vessie peuvent s'opposer à ce qu'une pierre soit reconnue, sont la saillie du lobe moyen de la prostate et les déformations de la vessie.

La saillie de la prostate fait que les vessies n'ont pour ainsi dire plus qu'un seul côté. On peut manœuvrer entre cette saillie et une des parois latérales, le côté opposé semble même moins profond. On peut en faisant pénétrer un instrument dans une telle vessie le pousser de telle sorte que le calcul reste en avant de lui. On est averti de cette hypertrophie du lobe moyen de la prostate par le temps relativement long que met l'instrument à parcourir la région prostatique, on sait alors qu'il ne faut pas sortir de la vessie avant d'avoir, non-seulement ramené l'instrument vers le col, mais encore avant de l'avoir fait pénétrer dans la portion située entre la partie hypertrophiée de la prostate de la paroi vésicale.

Contrairement à l'opinion de Thompson (1), qui parlant de l'hypertrophie de la prostate dit : « En général le corps étranger repose dans une dépression située derrière la prostate hypertrophiée. » M. Guyon professe que la prostate hypertrophiée dissimule la pierre bien plutôt en l'enserrant sur une des côtes de la vessie, qu'en la laissant passer au dessous-d'elle.

Quoiqu'il en soit, il est de règle lorsqu'on a affaire à

(1) Thompson. Loc. cit., p. 542.

une prostate tant soit peu hypertrophiée, de soulever le
siége du malade afin d'éloigner le calcul du col et le
rendre plus facile à toucher ou à saisir.

La vessie peut être déformée, offrir ce qu'on appelle
des cellules, ou bien présenter d'autres déformations
temporaires sur lesqu'elles nous insisterons plus bas.

Tandis que Civiale place au premier rang des obstacles opposés au diagnostic et au traitement des calculs,
les cellules qui se rencontrent dans les parois de la vessie,
Nélaton ne fait que mentionner un cas emprunté à
Le Roy (d'Etiolles), et Thompson les passe sous le silence.
C'est qu'en effet, les cellules vésicales existent, mais
elles sont rares, et il n'est pas démontré qu'elles puis-
sent donner un asile temporaire à la pierre, et lui per-
mettre de rentrer ou de sortir, tantôt déterminant les
symptômes propres du calcul vésical, tantôt passant
inaperçue. Le fait est si rare, que M. le professeur Guyon
avoue n'avoir jamais eu l'occasion de vérifier cette asser-
tion, et qu'il pense qu'une exploration restée infructueuse
ne doit pas être attribuée à la possibilité de la présence
de cellules.

Il faut suivant lui penser beaucoup plus aux déformations dues aux contractions de la cavité vésicale.

On rencontre en effet lorsqu'on explore une vessie des
saillies qui se forment pour ainsi dire sous la main du
chirurgien, saillies qui peuvent très-bien dissimuler une
pierre. Les résultats fournis par l'exploration sont alors
tout à fait inattendus. Il y a eu l'année dernière dans le
service de l'hôpital Necker un malade dont nous n'avons
pas pu retrouver l'observation, chez qui M. Guyon a
toujours trouvé non-seulement la pierre, mais aussi les
fragments une fois qu'elle fut brisée, au sommet de la

vessie. De telle sorte qu'au lieu d'avoir à élever le manche
du lithrotriteur comme on y est presque toujours obligé,
il fallait abaisser fortement l'instrument entre les cuisses
du malade pour faire le broiement. Cet homme avait
une vessie exempte de cellules.

Nous allons rapporter l'observation d'un homme qui
se trouvait dans le même cas, et chez lequel, par suite des
contractions de la vessie, on a trouvé la pierre au sommet
de celle-ci.

Obs. XIII. —St-Vincent, n° 24.

Louasse (Jean), tapissier, 63 ans, entré le 12 mai 1879.

Ce malade a été taillé en 1871 par M. Guyon. L'opération a
parfaitement réussi (taille bilatérale) et a même eu pour résultat
que le malade porteur de rétrécissements, et qui ne pouvait uriner
sans se sonder, a pu le faire depuis sa taille, mais il vidait mal sa
vessie.

19 mai. Il y a environ un an le malade a ressenti de nouveau
des douleurs après la miction ; il avait déjà à cette époque de très-
fréquentes envies d'uriner, et urinait toutes les demi-heures le jour
et moins souvent la nuit. Les urines sont un peu troubles et laissent déposer du muco-pus, 2 litres environ par jour.

On explore de nouveau la vessie et l'on constate la présence de
calculs. Canal encore retréci. On le dilate : Béniqué 48.

21 mai. N° 42 sans conducteur.

2 juin. Le malade se trouve mieux un peu plus d'appétit. Sonde
à demeure, urines plus claires, 1 litre 1/2.

11 juin. Première séance de lithotritie. Vessie très-contractée,
on chloroformise le malade. Lithotriteur n° 1. L'exploration du
bas-fond est infructueuse. On cherche au sommet de la vessie et
on y découvre un calcul. Broiement. On saisit ensuite des fragment sur le bas-fond.

La vessie contient des colonnes et le lithotriteur en accroche, pendant les recherches, une qui donne une sensation analogue à celle

Ancelin. 4

d'un calcul, mais la percussion faite avec le bec de l'instrument ne donne aucun choc.

C'est dans les grandes vessies que l'on rencontre ces contractions irrégulières qui peuvent dissimuler une pierre, ou la placer dans des conditions telles qu'elles pourraient faire manquer l'exploration.

Nous venons de signaler une observation dans laquelle on fut obligé, pendant tout le traitement, d'aller chercher les fragments au sommet de la vessie. Ces cas, sont, en somme, exceptionnels ou se rencontrent dans des conditions bien définies : 1° Lorsque, comme nous l'avons fait remarquer à l'instant, la vessie est douée d'une contractilité excessive. 2° Quand la pierre est volumineuse ou moyennement volumineuse et se rencontre dans une vessie irrégulière ; elle peut alors, comme dans l'observation suivante, rester au-dessus de l'instrument, parce qu'elle s'arc-boute sur les deux parois de la vessie. Chez ce malade, on peut le voir, la pierre qui, en raison de son poids, aurait dû se trouver sur le plancher vésical, a toujours été rencontrée au-dessus des instruments.

Il y a donc une grande importance à ne pas quitter une vessie où l'on n'a rien rencontré sur les bas fonds, sans explorer aussi sa paroi supérieure.

Les grandes vessies étant celles où la contractilité dissimule le plus facilement une pierre et ne sont pas celles où contrairement à ce que l'on pourrait penser, les manœuvres sont le plus faciles. Les grandes vessies offrant, du reste, un plus large terrain à explorer, sont aussi celles où l'on a le plus de chance de ne pas rencontrer un calcul.

Obs. XIV. — St-Vincent, nº 6.

Proust (Gustave), 29 ans, entré le 14 mars 1879.

Ce malade a toujours été d'une bonne santé : pas de goutte, pas de rhumatisme. Il souffre de la vessie depuis la fin de 1874. A cette époque il éprouva pendant la nuit un besoin d'uriner très-violent. Il fut obligé de se lever ce qui ne lui arrivait jamais jusque-là. Il rendit quelques gouttes d'urine seulement avec des douleurs violentes dans le bas-ventre et des cuissons vives le long de l'urèthre. Les besoins d'uriner se produisaient fréquemment, tous les quarts d'heure environ. Chaque fois le ténesme vésical était très-douloureux. Cet état aigu persista pendant une huitaine de jours, les urines étaient alors tour à tour ou troubles ou sanguinolentes. Il n'a pas remarqué à cette époque de graviers dans ses urines. Il paraît avoir eu autrefois des coliques néphrétiques. Depuis cette époque le malade a toujours souffert de la vessie : les besoins d'uriner sont restés assez fréquents ; il se lève au moins 8 ou 9 fois par nuit. Il urine à peu près aussi souvent le jour, plus souvent lorsqu'il travaille ou qu'il se fatigue un peu. La marche est difficile, il éprouve des picotements très-pénibles au bout de la verge, qui le forcent à la presser continuellement avec la main : douleurs sourdes parfois lancinantes dans le bas-ventre, s'exaspérant aussi à la suite d'une fatigue.

La voiture est très-mal supportée depuis trois ans environ, le cahotement est très-pénible ; il sent parfois la pierre remuer dans sa vessie lorsqu'il se retourne dans son lit.

Il y a 18 mois, il paraît avoir eu une attaque de colique néphrétique précédée pendant trois ou quatre jours de douleurs dans les reins : ces attaques se sont reproduites trois fois, la dernière date du mois de janvier. Jamais il n'avait senti de douleur aussi vives, quoiqu'il eût eu par intervalle des élancements douloureux dans la région lombaire. Pas d'accès fébriles bien manifestes.

Les cuissons qu'il éprouve en urinant ne persistent pas pendant toute la durée des mictions ; le passage des premières et des dernières gouttes d'urine est particulièrement douloureux. Le jet d'urine est parfois brusquement interrompu et repart si le malade fait un mouvement. Les urines ne sont plus hématuriques depuis assez longtemps. Elles ont été parfois assez claires, et laissent maintenant un dépôt glaireux ; elles sont sales et contiennent évidemment des globules de pus. Il y a de la polyurie, environ 3 litres 1/2.

Les forces du malade ont beaucoup diminué; l'appétit est assez bien conservé ; facies un peu jaunâtre. Uu peu de diarrhée à son entrée à l'hôpital. Le cœur est sain, les poumons également; les artères sont un peu dures et flexueuses. Le malade avoue des antécédents alcooliques.

20 mars. Le canal est libre. Le jour de son entrée avec un explorateur à boule olivaire ou sentait très-bien le calcul qui se décélait par un frottement prolongé et rude. Aujourd'hui on le sent un peu moins.

On explore le malade avec une sonde d'argent. D'emblée on sent la pierre qui est logée dans la concavité de l'instrument. C'est une pierre assez volumineuse pour pouvoir s'arc-bouter de chaque côté de la vessie. On sent le contact qui se prolonge dans une étendue de 3 et 1/2 travers de doigt. Du reste rien que par ce fait que la pierre se logeait dans la concavité de l'instrument, on pouvait dire qu'elle était grosse. L'instrument porté au-desssus d'elle donne un contact de même étendue.

Il y a des raisons de penser que la pièrre n'est pas dure car le contact est assez mou. Mais ce n'est pas une raison absolue, on ne saura sa consistance réelle qu'avec le lithotriteur.

26 mars. On tente une séance de lithotritie, mais auparavant on veut préparer le canal avec une sonde molle ; la région membraneuse résiste, il y a du spasme de cette région comme il arrive ordinairement quand la pierre est grosse comme ici et qu'elle touche le col.

Lorsque le canal résiste aux sondes molles, on peut mettre d'emblée le lithotriteur. C'est ce que l'on fait. Quoiqu'il n'y ait que dix minutes que le malade ait uriné, il est très-probable qu'il y a dans la vessie assez de liquide pour qu'on puisse opérer.

Le lithotriteur entre facilement, le spasme cède tout de suite. La pierre est au-dessus de l'instrument de sorte qu'on est obligé d'aller la chercher en haut. En rapprochant l'instrument du col on la touche par sa partie postérieure.

On saisit la pierre qui par sa grosseur écarte les mors de l'instrument au point de dépasser la graduation. Le volume est plus considérable que ne l'indiquait le contact, ce qui arrive toujours. Elle a au moins 6 centimètres.

Par conséquent c'est une pierre qu'il faut extraire autrement. On verra avant de décider comment cette introduction du lithotriteur aura été supportée.

Le 27. Pas d'élévation de température. Mais les fonctions digestives se font mal, le malade ne mange pas quoique sa langue soit assez bonne, un peu de diarrhée.

Le 31. Le malade ne veut pas manger. Potion alcool et quinquina; café. Les urines sont excessivement fétides. Plus de diarrhée, quelques vomissement; la respiration est très profonde, comme suspirieuse.

1er, Avril. Impossible de faire prendre au malade quelque nourriture. Il a du hoquet, il ne répond pas et paraît très abattu. Facies décomposé, urines purulentes.

Le 2. Décès pendant la visite. Hier a rendu 300 gr. d'urines purulentes

Autopsie. A l'ouverture de la paroi abdominale on trouve dans l'hypochondre droit, après avoir écarté légèrement l'intestin, une tumeur ne dépassant pas le rebord des fausses côtes soulevant le péritoine légèrement injecté à ce niveau : la tumeur est lobulée, molle et fluctuante. L'intestin et le foie étant enlevés, on constate que la tumeur a 15 centimètres.

Le tissu cellulaire péri vésical est infiltré de pus non collecté. La vessie a ses parois hypertrophiées. Elle est modérément distendue. Les parois ont 1 centimètre d'épaisseur. La muqueuse est ardoisée. L'ouverture des uretères est libre.

Côté gauche. L'uretère gauche est très-dilaté, ses parois sont très-épaisses, la muqueuse est injectée. Il contient du pus dans son intérieur. Mêmes altérations de la muqueuse du bassinet et des calices qui sont très-dilatés. La surface du rein est inégale, comme lobulée. Le rein ne paraît pas augmenté de volume. Adhérences très-marquées dans certains points de la capsule, nulles dans d'autres. A la coupe : par places, disparition complète de la couche médullaire qui est remplacée par de grandes cavités communiquant d'une façon plus ou moins directe dans le bassinet. A la coupe on voit des orifices infundibuliformes qui au lieu de venir adhérer aux pyramides nous conduisent dans ces cavités. Les pyra- mides persistent en de très-rares points; les colonnes de Bertin subsistent. Dans les points où existent les cavités kystiques la substance corticale est absolument atrophiée. Les vaisseaux ne sont point altères, la capsule adipeuse n'existe pas.

Coté droit. Le rein droit n'est que l'exagération du rein gauche, il est réduit à une grande cavité cloisonnée et séparée en cavités à peu près d'égal volume remplies de pus. Dans certains points, au niveau des cloisons, on voit un peu du parenchyme rénal. Les parois de la poche ont environ 2 à 3 millimètres d'épaisseur. L'ure- tère est énormément augmenté de volume à sa partie supérieure il a bien 10 centimètres. Tout autour existe un tissu adipeux jau- nâtre. Il est rétréci en un point de la partie moyenne. La partie inférieure est bourrée de calculs qui cependant n'empêchent pas, l'urine d'arriver à la vessie.

Poumons. Adhérence ancienne du poumon gauche. A la base du poumon droit foyer apoplectique du volume d'un gros marron. L'artère pulmonaire se rendant dans le lobe inférieur présente un caillot très-volumineux, fibreux, d'origine embolique, non adhérent aux parois, envoyant des prolongements dans toutes les branches voisines.

Cœur. Le cœur est rempli de caillots noirâtres et fibrineux, il est revenu sur lui-même; pas d'altérations valvulaires ni de l'aorte.

Le calcul avait les dimensions suivantes : longueur 0^m, 08, lar- geur 0^m, 05, épaisseur 0^m, 04.

Il nous reste maintenant, pour terminer avec les cau- ses qui peuvent rendre la rencontre du calcul difficile, à nous occuper du contenu de la cavité vésicale. Ce con- tenu se compose du corps étranger et de l'urine. Une quantité d'urine considérable, c'est-à-dire dépassant 100 à 150 grammes est une condition défavorable à la re- cherche de la pierre, elle agrandit le champ des recher- ches sans les rendre plus faciles. Cette condition est telle que, contrairement à Civiale qui conseillait d'injecter du liquide dans la vessie avant de commencer l'exploration, le professeur Guyon ne le fait presque jamais, et Thompson y a renoncé : « Je m'aperçus bientôt, cependant, dit-il, que tout cela était inutile, et depuis quelques années je n'ai pratiqué aucune injection préliminaire, ni même engagé le malade à retenir son urine jusqu'à l'heure fixée pour l'opération. » Et plus loin : « On ne saurait léser une vessie vide, si les manœuvres sont convenables ; et pour ma part je n'hésite pas à opérer dans ce cas comme dans l'autre. »

De plus, la trop grande quantité de liquide pourrait avoir pour résultat de déloger la pierre de l'endroit où elle reste habituellement, et de la faire échapper à l'exploration.

La condition avantageuse est une petite quantité de liquide, 60 à 80 grammes, et il est peu de malade qui n'ait ce poids d'urine dans la vessie, pour peu qu'il n'ait pas uriné depuis un certain temps. La présence du médecin le fait, du reste, d'habitude sécréter assez pour qu'on n'ait pas besoin de faire d'injection.

Il faut aussi tenir compte de la nature et du volume du corps étranger. Il est évident que d'une façon générale, il est plus facile de trouver une grosse pierre qu'une petite, mais cela n'est pas si absolu que l'on puisse dire : J'ai fait une exploration infructueuse, donc, s'il y a une pierre, je suis au moins certain qu'elle est petite. Ce serait trop s'avancer, car une vessie contractile peut très-bien cacher une grosse pierre.

On peut voir dans l'observation XIV que la pierre de ce malade se trouvait toujours au-dessus de l'instrument, et que si la vessie eût eu plus de capacité, elle aurait pu en se contractant comme elle le faisait cacher cette pierre volumineuse ou du moins empêcher de la rencontrer si l'on s'était contenté de l'exploration du bas-fond de la vessie.

En se basant sur ce qui se passe dans les opérations de lithotritie, on pourrait même presque dire que les petites pierres sont plus faciles à rencontrer que les grosses. Dans la lithotritie, en effet, on saisit d'autant plus facilement les fragments que le broiement est plus avancé.

Il est une condition appartenant essentiellement à la pierre, et qui fait qu'on ne peut la rencontrer, c'est lorsque la pierre est poreuse et légère, elle flotte alors dans le liquide où il faut, pour ainsi dire, courir après, et comme la pierre n'a pas de lieu d'habitation habituel, c'est pour ainsi dire le hasard seul qui peut la faire rencontrer. Ce fait se passe chez les sujets qui ont dans leur vessie un calcul venu du rein, à la suite d'une colique néphritique.

EXPLORATION DE LA VESSIE A L'AIDE DES INSTRUMENTS.

Nous avons déjà vu plus haut que l'exploration de la vessie se fait d'une manière incomplète avec la sonde, et complète avec le lithotriteur.

Mais ce n'est pas par l'introduction de ces instruments qu'il faut débuter. Il faut, avant d'essayer à introduire un instrument métallique droit, avoir reconnu quel est l'état du canal que l'on a à parcourir. On se sert pour cela d'un explorateur olivaire allant du n° 10 au 21. Cette olive permet de reconnaître quel est l'état de l'urèthre dans toute son étendue, aussi bien dans la première por-

tion que dans la dernière. Cette olive peut dans beaucoup
de cas, lorsqu'elle se dégage dans la vessie, donner le
contact de la pierre. On éprouve alors un sentiment de
choc avec déplacement; on sent très-bien que l'on heurte
contre quelque chose de solide qui fuit devant l'instrument. D'autres fois (obs. XIV), au lieu de ce choc, on
n'éprouve qu'un sentiment de frôlement quand l'olive
entre ou sort de la vessie. Le choc ne se perçoit qu'en en-
trant dans la vessie, tandis que le frôlement a lieu dans
les deux temps, entrée et sortie. Ce frottement de l'olive
contre la pierre donne, au doigt, suivant la judicieuse
remarque de M. le professeur Guyon, la même sensation
que celle produite par l'auscultation de la poitrine des
pleurétiques qui ont des bruits de cuir neuf. Cette sensation délicate, qu'il n'est pas toujours facile de saisir, est
très-caractéristique, car aucune portion de l'urèthre ou
de la vessie, ne peut la donner. Cette sensation de cuir
neuf s'est présentée très-nette dans l'observation XIV,
où la pierre volumineuse était frottée sur une grande
étendue par l'explorateur.

C'est ainsi qu'à l'aide d'une sonde ordinaire ou même
d'une sonde coudée, on peut faire le diagnostic de la
pierre quand on n'était appelé que pour faire un cathétérisme évacuateur. Si l'on a des présomptions légères,
on peut aider à la production de ces sensations en ne
retirant la sonde de la vessie que lorsque celle-ci est bien
vide et contractée, on peut alors sentir en retirant la
sonde un corps étranger qui frotte contre l'instrument
d'une façon très-caractéristique.

Aux instruments métalliques appartient de renseigner le médecin sur l'existence, sur la consistance et
le volume de la pierre. Ce sont aussi les instruments mé-

talliques qui le renseignent sur la configuration de la vessie. Ils complètent le diagnostic qui n'avait pu être qu'ébauché par les instruments non métalliques ; mais cependant ils leur sont inférieurs sur un point. C'est quand il s'agit de savoir comment se vide la vessie. Pour s'en rendre compte, ce n'est pas à des instruments métalliques qu'il faut s'adresser, ils renseigneraient mal car ils sont incapables de la vider complétement, mais bien à une sonde ordinaire que l'on introduit lorsque le malade vient d'uriner.

Nous ne reviendrons pas dans ce chapitre sur ce que nous avons dit plus haut, page 39, touchant la façon d'introduire les instruments métalliques. On a vu quel était le manuel opératoire conseillé par le professeur Guyon, manuel opératoire qui, s'il ne permet pas toujours d'entrer dans la vessie, met à l'abri des délabrements considérables auxquels on expose le malade quand on agit sans règles. Nous avions vu précédemment quelles étaient les difficultés qui pouvaient surgir et tromper l'opérateur par de fausses sensations.

Les instruments une fois introduits dans la vessie, quelles sont les manœuvres nécessaires et permises pour arriver au but? L'instrument introduit dans la vessie, sonde ou lithotriteur sert au toucher vésical et aussi à la percussion. Il faut non-seulement passer sur le basfond de la vessie en y exerçant une espèce de raclage comme on le dit, dans la plupart des livres (Thompson, Dolbeau), mais aussi faire de petits mouvements de percussion. Ces mouvements de percussion sur lesquels insiste avec tant de raison le professeur Guyon, associés au toucher permettent seuls de reconnaître l'état réel de la vessie, et évitent à l'opérateur de sauter d'une colonne à l'autre en laissant l'intervalle qui les sépare inexploré, intervalle dans lequel pourrait se trouver le corps du délit. L'opérateur évite ainsi comme dans l'observation XIII de prendre une colonne pour un calcul.

Si ces mouvements sont nécessaires pour faire une exploration complète de la vessie, ils sont indispensables pour connaître avec la sonde la consistance et le volume du calcul. Les mouvements de va et vient ou de contact simple sont insuffisants pour indiquer dans tous les sens les dimensions d'un calcul, tandis que par la percusion on a toutes les chances possibles d'arriver à ce résultat. La percussion par la netteté plus ou moins grande du son obtenu, ajoute encore aux renseignenements déjà acquis.

La percussion ne sert pas seulement à consta approximativemont la densité d'un calcul, elle sert encore à renseigner sur leur multiplicité possible. Sans elle, on n'obtient ni bruits simples ni bruits doubles, on n'a qu'une sensation; avec elle on peut obtenir une sorte de bruit de cliquetis qui indique que le calcul n'est pas seul. Ce bruit offre même quelquefois des caractères assez particuliers qui permettent de dire qu'il y a plus de deux calculs (Observations I, V).

Il résulte des remarques précédentes que la percussion est un élément indispensable du diagnostic de la pierre.

Les renseignements donnés avec la sonde sont précieux, ils indiquent la présence, la grosseur, la densité et le nombre des calculs, mais ils sont incomplets sur les deux points : la grosseur et la densité du calcul. On comprend en effet que la mensuration à l'aide de la sonde ne peut être qu'approximative, et que le son obtenu dépend des matières qui peuvent entourer le calcul. En général, lorsque l'on mesure un calcul avec la sonde, l'erreur est en moins, c'est-à-dire que l'on croit le calcul plus petit qu'il n'est, quoique l'erreur contraire puisse aussi avoir lieu.

L'emploi du lithotriteur au contraire comme moyen de diagnostic donne d'une façon absolue les dimensions et la densité du calcul. L'écartement des branches du lithotriteur se reportant sur sa tige graduée permet de mesurer le calcul dans le diamètre saisi. Il est juste cependant, de faire remarquer que pour avoir les dimensions exactes d'un calcul, il faut pouvoir le saisir dans tous ses diamètres, ce qui est loin d'avoir toujours lieu. Souvent le calcul se présente constamment de la même manière, et l'on ne peut se mettre à l'abri de l'erreur qu'en supposant, — si l'on ne peut faire autrement, — que l'on a toujours saisi le calcul par sa plus petite dimension. Ce renseignement tel que peut l'obtenir l'opérateur le plus habile, — car il ne dépend pas de l'habileté de pouvoir saisir le calcul comme l'on veut, — suffit cependant pour que l'on ait le droit de choisir entre la taille et la lithotritie.

Quant à la consistance du calcul, elle est donnée d'une façon absolue par le lithotriteur. On en juge par la facilité plus ou moins grande avec laquelle le lithotriteur fait éclater ou écrase le calcul.

On pourrait penser d'après ce que nous venons de dire que le lithotriteur n'a qu'un rôle dans le diagnostic de la pierre et qu'il sert simplement à mesurer le volume et la densité du calcul, qu'à la sonde appartient d'en indiquer l'existence. Mais il n'en est pas ainsi, la sonde est quelquefois impuissante à indiquer la présence d'un calcul, quand il est léger ou petit ; c'est alors que le lithotriteur sert à découvrir, dans certains cas, une pierre que la sonde n'aurait pas pu rencontrer. La plupart du temps ce fait se rencontre, comme le montre le professeur Guyon dans son service à l'hôpital dans les dernières séances d'une lithotritie. On explore le malade avec la sonde pour voir s'il est complétement débarrassé, on ne trouve rien. Cependant les urines restent troubles, on cherche alors avec le lithotriteur, non pas fermé et représentant pour ainsi dire une sonde, mais en faisant les manœuvres de la lithotritie, c'est-à-dire en ouvrant et en inclinant l'instrument de façon à saisir les fragments, et l'on arrive à faire le diagnostic.

Ce moyen de diagnostic est indispensable quand la pierre est molle au point de ne pas donner de sensation de contact. Si on ne l'employait, on s'exposerait inévitablement à laisser des fragments dans la vessie. Ainsi donc, il faut demander au lithotriteur des renseignements particuliers et son usage doit nécessairement entrer dans le diagnostic des calculs.

Le lithotriteur, qui est comme nous l'avons vu le meilleur instrument du diagnostic des calculs, étant celui qui fournit la plus grande somme de renseignements précis, peut lui-même se trouver en défaut quand le calcul ou le fragment de calcul est petit. Quelles que soient l'habileté et l'expérience de l'opérateur, les résultats de l'exploration sont nuls et l'on est exposé à se laisser aller à une fausse sécurité. Chez un malade dont la vessie est saine, l'état des urines pourra toujours indiquer quel est l'état de la vessie, et si elle est complétement débarrassée. On sait en effet que s'il reste un fragment les urines continuent à être troubles au lieu de repender leur limpidité normale.

Mais chez un malade comme celui qui fait l'objet de l'observation suivante qui depuis longtemps souffre de la prostate et de la vessie l'examen dès urines ne peut donner de grands renseignements au point de vue spécial qui nous occupe, elles sont toujours plus ou moins troubles. C'est donc à l'exploration avec le lithotriteur qu'il faut s'en rapporter, et l'on peut voir en jetant les yeux sur cette observation quels en furent les résultats.

Obs. XV.

Julien (Vincent), 58 ans, serrurier.

Ce malade a déjà été traité au mois de mai 1878 par M. Guyon, pour une hypertrophie de la prostate avec rétention incomplète d'urine. Le malade était sorti très-amélioré le 14 janvier.

Ce malade rentre à l'hôpital le 28 avril et est couché au lit n° 1.

2 mai. Il y a trois semaines environ le malade a commencé à éprouver des douleurs cuisantes à l'anus et dans le canal surtout avant la miction. Ses mictions sont devenues fréquentes et même involontaires pendant la nuit, il éprouve de légères douleurs de reins.

Le 3. Même état, les urines sont un peu troubles, pas de douleurs dans les contractions de la vessie, injections d'eau froide.

Le 6. Le malade hier soir en retirant sa sonde a fait sortir en même temps un petit calcul. Ce matin, à l'exploration de sa vessie, on trouve une pierre qui ne doit pas être volumineuse, mais qui se trouve logée dans une dépression. On sent de nombreuses colonnes.

Le 13. On passe le 47 Béniqué. Le lithotriteur n° 1 est introduit facilement. Prise de la pierre par la méthode directe dans la logette, 5 prises. Puis méthode indirecte quand le calcul est délogé, 9 prises. Lavage avec l'aspirateur Thompson.

Le 17. On introduit le lithotriteur. On sent une pierre au col en arrière de la prostate, qu'on ne peut saisir. L'aspiration avec l'appareil de Thompson la déloge, elle finit par se loger dans l'œil de la sonde où elle reste engagée. On la retire en même temps que l'instrument.

Le 19. Depuis deux jours il n'y a plus d'incontinence d'urine pendant la nuit.

Le 21. Introduction du lithotriteur. On ne peut sentir le calcul. L'aspirateur de Thompson le déloge mais il ne peut s'engager dans la sonde. Réintroduction du lithotriteur, 2 prises.

Le 28. Introduction du lithotriteur. On ne sent pas de pierre. L'aspirateur de Thompson en révèle cependant l'existence par un choc net et répété à chaque aspiration. Nouvelle tentative infructueuse avec le lithotriteur.

7 juin. Mêmes tentatives.

Le calculeux qui fait l'objet de l'observation précédente avait une vessie dans des conditions telles qu'elle pouvait dissimuler un calcul, celui-ci se logeait dans un endroit inaccessible au lithotriteur, et ce n'est que grâce au remous que produisait l'aspiration, qu'on pouvait l'en faire sortir. Le calcul venait alors frapper l'extrémité de la sonde métallique et donnait un bruit sec et net qui était perçu par tous les assistants.

C'est là un moyen d'exploration qui pour le moment ne saurait être généralisé. Il ne peut servir évidemment que pour les petits calculs qui sont seuls capables d'être entraînés comme fragments à la suite d'une lithotritie.

Nous avons cru devoir signaler ce fait parceque c'était la première fois qu'il se produisait dans le service du professeur Guyon et que dans le cas qui nous occupe, il a rendu un réel service au chirurgien en lui faisant découvrir un calcul qui avait échappé à toutes les recherches faites avec le lithotriteur,

Si l'aspiration, à la suite des séances de lithotritie devient en France d'un emploi aussi fréquent qu'en Angleterre et en Amérique, les faits de ce genre se multiplieront probablement, et l'aspiration sera dans ces cas difficiles un bon moyen d'exploration.

A. PARENT, imprimeur de la Faculté de Médecine, rue Mr-le-Prince, 31.

Leçons sur les maladies du système nerveux, faites à la Salpêtrière par le professeur Charcot, recueillies et publiées par le docteur Bourneville, rédacteur en chef du *Progrès médical*. 2e édit., revue et augmentée. 2 vol. in-8 avec 50 figures dans le texte et 20 planches, dont 15 en chromolithographie........... 26 fr. »
    Cartonné... 28 fr. »
Leçons sur les maladies du foie, des voies biliaires et des reins, faites à la Faculté de médecine de Paris par le professeur Charcot, recueillies et publiées par les docteurs Bourneville et Sevestre. 1 vol. in-8 avec 37 figures dans le texte et 7 planches en chromolithographie........................... 10 fr. »
Traité de thérapeutique appliquée, basé sur les indications, suivi d'un précis de thérapeutique et de posologie infantiles et de notions de pharmacologie usuelle sur les médicaments signalés dans le cours de l'ouvrage, par J.-B. Fonssagrives, professeur de thérapeutique et de matière médicale à la Faculté de médecine de Montpellier, etc. 2 vol. in-8.................................... 24 fr. »
    Cartonné... 26 fr. »
Anatomie descriptive et dissection, contenant un précis d'embryologie, la structure microscopique des organes et celle des tissus, par le docteur J.-A. Fort, professeur libre d'anatomie et de chirurgie, etc. 3e édition revue et augmentée. 3 vol. in-12 avec 1227 figures intercalées dans le texte................ 30 fr. »
Traité d'anatomie pathologique, par le docteur Lancereaux. professeur agrégé à la Faculté de médecine de Paris, médecin des hôpitaux, etc. Tome Ier, Anatomie pathologique générale. 1 vol. in-8 avec 267 fig. intercalées dans le texte.. 20 fr. »
    Cartonné... 21 fr. »
Du diagnostic et du traitement des maladies du cœur, et en particulier de leurs formes anomales, par le professeur Germain Sée. Leçons recueillies par le docteur F. Labadie-Lagrave (clinique de la Charité, 1874 à 1876). 1 vol. in-8... 9 fr. »
    Cartonné... 10 fr. »
Leçons cliniques sur les maladies des organes génitaux internes de la femme, par Alphonse Guérin, chirurgien de l'Hôtel-Dieu, etc. 1 vol. in-8 avec 33 figures intercalées dans le texte et 2 planches en chromolithographie. 10 fr. »
Traité théorique et clinique de Percussion et d'Auscultation, avec un appendice sur l'inspection, la palpation et la mensuration de la poitrine, par E.-J. Woillez. médecin honoraire de l'hôpital de la Charité, etc. 1 vol. in 18 avec 101 figures intercalées dans le texte.............................. 10 fr. »
    Cartonné... 11 fr. »
Traité complet d'ophthalmologie, par les docteurs L. de Wecker et Ed. Landolt.
Anatomie microscopique, par les professeurs J. Arnold, A. Ivanoff, G. Schwabe. et W. Waldeyer. Tome Ier, première partie. 1 vol. in 8 avec 146 figures intercalées dans le texte et 2 planches. Prix du tome Ier, complet.......... 16 fr. »
Cet ouvrage remplace la troisième édition du de Wecker (Prix Chateauvillard).
Leçons cliniques sur les maladies du foie, suivies des leçons sur les troubles fonctionnels du foie, par Charles Murchison, professeur de clinique médicale, etc. Traduite sur la seconde édition et annotées par le docteur Jules Cyr, lauréat de l'Académie de médecine. médecin consultant à Vichy, 1 vol. in-8 avec 46 figures dans le texte. .... 12 fr. »
Étude médico-légale sur les testaments contestés pour cause de folie, par le Dr Legrand du Saulle, médecin de la Salpêtrière, etc. 1 vol. in-8.. 9 fr. »
Traité des maladies de l'estomac, par le Dr Leven, médecin en chef de l'hôpital Rothschild, etc. 1 vol. in-8................................. 7 fr. »
Guide élémentaire du médecin praticien, par le Dr Buchholtz. 1 vol. in-18... 5 fr. »
Traité de la gastrotomie, par le Dr H. Petit, sous-bibliothécaire à la Faculté de médecine de Paris, etc., ouvrage précédé d'une introduction par M. le professeur Verneuil. 1 vol. in-8... 6 fr. »
Traité d'hématologie dynamique pour servir de fondement à un système de pathologie vitaliste, par le Dr Bassaget. 2 vol. in-8. 20 fr. »

Paris. — A. Parent, imp. de la Faculté de Médecine, r. M.-le-Prince, 29-31.